DIE SERIE „ABRISS CHINAS"

ABRIß DER CHINESISCHEN KULTUR

Von Feng Lingyu und Shi Weimin

Übersetzt von Wang Yu
Deutsch bearbeitet:
Renate Zantis und Atze Schmidt

2 0 0 1 . 1 0

CHINA INTERCONTINENTAL PRESS

中国基本情况丛书

顾　　问　李　冰　赵少华
主　　编　郭长建
副 主 编　宋坚之(执行)　吴　伟
装帧设计　宁成春

本册责任编辑　冯凌宇

图书在版编目(CIP)数据

中国文化掠影／冯凌宇、史卫民著．－北京：五洲传播出版社，2001.1
ISBN 7-80113-817-1

Ⅰ.中…
Ⅱ.①冯…②史…
Ⅲ.传统文化-中国-德文
Ⅳ.G12

五洲传播出版社出版发行
北京北三环中路31号　邮政编码 100088
HTTP://WWW.CICC.ORG.CN

*

2001年3月第1版　2002年11月第2次印刷
889×1194毫米 32开 6.25印张 55千字
004500

INHALTSVERZEICHNIS

Zurückverfolgung der Zivilisation 4

Die chinesische Schrift 38

Seide, Spirituosen, Tee und Porzellan 55

Architektur 79

Die Lehre der konfuzianischen Schule 98

Literatur und Kunst 116

Religion 136

Die chinesische Medizin und Pharmakologie 155

Kalender und Feste 169

Sehnsucht nach Glück 183

Zurückverfolgung der Zivilisation

Der Ursprung der chinesischen Zivilisation

China gehört zu den Geburtsorten der Menschheit. Beweisstücke, die fast jede Periode der Entwicklungsgeschichte der Menschheit bestätigen, wurden in China freigelegt. So gibt es in China mehr als 200 Fundstätten aus der Altsteinzeit. Der erste primitive Mensch, von dessen Existenz man in China weiß, war der Yuanmou-Mensch. Seine fossilen Reste wurden in Yuanmou, Provinz Yunnan, entdeckt. Er lebte vor rund 1,7 Millionen Jahren. 1929 wurde in einer Höhle auf einem Hügel namens Longgushan (Drachenknochen-Hügel) in Zhoukoudian bei Beijing das Fossil einer unbeschädigten Schädeldecke eines Affenmenschen gefunden, was großes Aufsehen in der ganzen Welt erregte. Das Alter des Peking-Menschen (Sinanthropus pekinensis) wurde auf 700 000 bis 200 000 Jahre bestimmt.

Die Peking-Menschen führten ein äußerst mühseliges Leben in primitiven Gemeinschaften. Tagsüber sammelten sie Pflanzen und jagten Tiere. Sie waren bereits in der Lage, Steingeräte herzustellen und zu verwenden. Eine große Menge Asche wurde in den von Peking-Menschen bewohnten Höhlen entdeckt. Das beweist, dass sie Feuer nutzen konnten. Die Asche enthielt Reste verbrannter Tierknochen.

Vor rund 8000 Jahren erfolgte der Übergang in die Jungsteinzeit. Die Menschen konnten durch Schleifen und Schaben Steinwerkzeuge herstellen. Sie beschäftigten sich nicht mehr nur mit dem Jagen und Fischen, sie begannen Pflanzen anzubauen und Tiere zu züchten. So konnten sie allmählich seßhaft werden. Die natürlichen Begingungen in Chinas weiten Gebieten, insbesondere in den Gebieten entlang des

Kalligraphien, Malereien, Porzellan und Möbel auf einer Ausstellung über die alte chinesische Kultur

Gelben Flusses und des Yangtse, sind günstig für den Ackerbau. Im Einzugsgebiet des Gelben Flusses wurden schon sehr früh Hirse (*Panicum miliaceum*) und Kolbenhirse (*Setaria italica*) angebaut, im Einzugsgebiet des Yangtse Wasserreis. Aber auch im Eingzugsgebiet des Flusses Liaohe in Norden und in Südchina wurden Zeugnisse landwirtschaftlicher Betätigung vor 7000 Jahren entdeckt.

In der Frühzeit der Jungsteinzeit lebten die Menschen in China in einer matriarchalischen Gesellschaft. Die Kennzeichen einer matriarchalischen Gesellschaft treten in der Yangshao-Kultur (5000— 3000 v. Chr.) im Einzugsgebiet des Gelben Flusses besonders deutlich zutage. Der Name dieser Kultur kommt vom Dorf Yangshao des Kreises Mianchi, Provinz Henan, wo sie zuerst entdeckt wurde. Die Yangshao-Kultur umfaßt mehrere Kulturen aus der gleichen Periode, die aber in unterschiedlichen Gebieten entdeckt wurden. Dazu gehört u. a. die Fundstelle Banpo bei Xi'an, Provinz Shaanxi. Dabei handelt es sich

Bemalte Keramikschale mit Masken- und Fischmotiven, freigelegt aus der neolithischen Siedlung im Dorf Banpo bei Xi'an, Shaanxi (ca. 4800—4300 v. Chr.)

um ein typisches neolithisches Dorf mit Resten der Yangshao-Kultur, u. a. bemalte Keramiken. Eine große Menge von keramischen Gefäßen wurden dort ausgegraben. Die meisten davon sind gut genug erhalten, um einen Eindruck von der bemerkenswerten Leistungsfähigkeit zu vermitteln, die das keramische Handwerk in der Yangshao-Kultur schon erreicht hatte. Die vorherrschende Farbe ist Rot. Darauf hat man mit weißer oder schwarzer Farbe geometrische Muster, später dann Fisch- oder Menschenmotive gemalt. Die keramischen Gefäße dienten zur Aufbewahrung von Nahrung und zum Kochen, aber auch zu Bestattungszwecken. In einem Keramiktopf wurden Gemüsesaaten gefunden. Außerdem hat man ein Spinnrad freigelegt, mit dem Leinen gesponnen wurde. Der am gründlichsten erforschte Fundort der Yangshao-Kultur weist eine deutliche räumliche Trennung zwischen Wohnbezirken, Keramik-Brennöfen und Grabstätten auf. Im Mittelpunkt dieser Siedlungsanlage befindet sich ein großer Gemeinschaftsbau.

Die Hemudu-Kultur (5000—4000 v. Chr.), die im Dorf Hemudu des Kreises Yuyao, Provinz Zhejiang, entdeckt wurde, ist von großer Bedeutung für das Studium des Lebens der Menschen in der Jungsteinzeit in den Gebieten des Unterlaufs des Yangtse. Die tiefschwarzen Keramiken, die hier freigelegt wurden, umfassen Töpfe, Platten, Becken, Krüge usw. Das Design dieser schwarzen Keramikwaren ist einzigartig. Die Gebrauchsgegenstände und

Werkzeuge bestanden vor allem aus Stein, Knochen und Holz. Einfache Spinnräder, Textilien, lackierte Holzschalen und Elfenbeinwaren spiegeln das Niveau damaliger Geschicklichkeit wider. Man fand auch Reste von Holzhäusern und eines viereckigen Brunnens, desssen Wände aus quadratischem Bauholz bestanden. Die Wohnhäuser waren auf Pfählen errichtet. An einigen Fundstellen der Hemudu-Kultur wurden Knochen von Schweinen, Hunden und Wasserbüffel sowie Reis und andere Feldfrüchte entdeckt. Dies alles beweist, dass die Menschen der Hemudu-Kultur schon zur seßhaften Lebensweise übergegangen waren. Sie beschäftigten sich hauptsächlich mit dem Anbau von Wasserreis und der Zucht von Haustieren. Das Jagen, Fischen und Sammeln bereicherte ihren Lebensunterhalt. Die Entdeckung der Hemudu-Kultur bestätigt, dass das Einzugsgebiet des Yangtse eine Wiege der alten Kultur der chinesischen Nation ist.

Vor etwa 5000 Jahren trat man in China in das Stadium der patriarchalischen Sippengesellschaft ein. Im allgemeinen zählt man die Überreste der Stammeskulturen von Longshan im Einzugsgebiet des Gelben Flusses und von Liangzhu im Einzugsgebiet des Yangtse sowie einigen anderen Orten zu typischen Vertretern dieser Periode.

Erstmals wurden Überreste der Longshan-

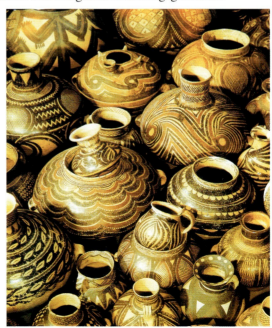

Bemalte Tontöpfe von der Fundstelle Majiayao im Kreis Lintao, Gansu (3300—2900 v. Chr.)

Kultur (2500—2000 v. Chr.) im Marktflecken Longshan des Kreises Zhangqiu, Provinz Shandong, entdeckt. Die Stämme der Longshan-Kultur waren weit in Nordchina verbreitet. Die Liangzhu-Kultur (3300—2200 v. Chr.) entdeckte man im Marktflecken Liangzhu des Kreises Yuhan, Provinz Zhejiang. Die pechschwarzen, glänzenden Keramikwaren aus der Periode der Liangzhu-Kultur zeichneten sich durch perfekte Formgebung aus. Auch die Jadewaren hatten ein erstaunlich hohes Niveau erreicht. Das Handwerk und die landwirtschaftliche Produktion begannen sich betreits voneinander zu trennen. Nach den Grabbeigaben zu urteilen, gab es damals einen großen Unterschied im sozialen Status der Menschen. Im Grab eines Reichen fand man ein *Cong* (langer, hoher und viereckig geschliffener Jadeschmuck mit einem runden Loch in der Mitte, der göttliche Macht symbolierte),ein *Yue* aus Jade (im alten China gebrauchte Streitaxt, Symbol des Rechts, andere zu töten) und eine Menge von *Bi* (runde Jadescheibe mit einem Loch in der Mitte zum zeremoniellen Gebrauch im alten China). Zu den Grabbeigaben armer Leute gehörten nur ein oder zwei Töpfe. In manchen Gräbern fand man überhaupt keine Beigabe. Die Opferaltäre, Gräber und Embleme aus dieser Periode spiegeln deutlich ein Bewußtsein von religiös legitimierter Macht und königlicher Macht wider.

Die Hongshan-Kultur (ca. 3500 v. Chr.), die bei Hongshan in der Stadt Chifeng, Innere Mongolei, entdeckt wurde, unterscheidet sich deutlich von den Kulturen in Zentralchina. Die drei bekanntesten Fundstätten der Hongshan-Kultur—die Ruine eines Opferaltars, die Reste eines Tempels und die Gräber Jishi—befinden sich in einem Umkreis von 50 Quadratkilometern. Daraus folgern Archäologen, dass es hier eine sehr große Sippengesellschaft gegeben haben dürfte.

Von Nordostchina bis zum Einzugsgebiet des Perlflusses in Südchina hat man die Reste früher Kulturen gefunden. Von Su Bingqi, einem

Cong (hoher und viereckig geschliffener Jadeschmuck mit einem runden Loch in der Mitte) von der Fundstelle Liangzhu im Kreis Yuhang, Zhejiang (ca. 3300—2200 v. Chr.)

berühmten Archäologen Chinas, stammt der Ausspruch, dass die Zahl der Ursprungsorte primitiver Kulturen der chinesischen Nation so groß sei wie die der Sterne am Himmel.

Die Entwicklung der chinesischen Zivilisation

Aufzeichnungen zufolge entstand die Xia-Dynastie (ca. 21. Jahrhundert—16. Jahrhundert v. Chr.), die als Chinas erste Dynastie gilt, um 2100 v. Chr. Die Geschichte dieser Dynastie wird in vielen Dokumenten erwähnt. Das Verwaltungsgebiet der Xia-Dynastie umfaßte das heutige Westhenan und das heutige Südshanxi. Der Überlieferung nach wurden damals Flüsse reguliert, um Überschwemmungen zu verhindern und die Ernte sicher zu stellen. Außerdem arbeitete man einen Kalender aus und bestimmte danach die Zeit für die Feldarbeit. In den vergangenen Jahrzehnten wurden im ehemaligen Verwaltungsgebiet dieser Dynastie mehrere Ruinen entdeckt. Viele Fundstücke scheinen die Aufzeichnungen in Dokumenten über ihre Existenz und über das von ihr beherrschte Land

Kopf einer Gottheit aus Lehm mit Augen aus Jade von der Fundstätte Niuheliang, Provinz Liaoning (ca. 3600 v. Chr.)

zu bekräftigen. Doch es fehlt bis heute noch an unwiderlegbarem Beweismaterial, dass diese Ruinen tatsächlich das Machtzentrum der Xia-Dynastie waren.

Die Shang-Dynastie, aus der man schriftliche Aufzeichnungen kennt, währte über 600 Jahre (ca. 16.—11. Jahrhundert v. Chr.). Sie entstand im nördlichen Teil des Einzugsgebietes des Gelben Flusses und verlegte ihre Hauptstadt mehrmals, bis schließlich Yin (das heutige Anyang, Provinz Henan) Hauptstadt wurde. Von da an hieß sie die Yin- oder Yin-Shang-Dynastie. Bisher wurden ein paar Dutzend Ruinen von Palästen, Ahnentempeln und Gräbern der Shang-Könige in Anyang entdeckt. Dabei wurden viele Schildkrötenpanzer und Tierknochen mit Orakelinschriften freigelegt, die als die Anfänge der heutigen chinesischen Schriftzeichen gelten. Viele der Orakelknochen-Inschriften konnten inzwischen entziffert werden.

Der Inhalt der Orakel bezog sich auf die verschiedenen Aktivitäten des Herrscherhauses. Da es in vielen Orakelknochen-Inschriften um die Landwirtschaft geht, z. B. Bitte um eine gute Ernte und um Regen, beweist dies, dass die Sorge um sie zu den Aufgaben eines Königs der Shang-Dynastie gehörte. In den Orakelknochen-Inschriften findet man die Namen der wichtigen Getreide, die außer zum Essen als Rohstoff zur Herstellung von Alkohol dienten. Viele Weingefäße fand man in den Ruinen der Shang, was zeigt, dass der Genuß von Alkohol unter den Adligen verbreitet war. Alkoholherstellung war das Ergebnis einer weiteren Entwicklung der Landwirtschaft. Auch die Seidenraupenzucht war während der der Shang-Zeit bereits bekannt und entwickelt.

Unter den Handwerkssparten war die Bronzeverarbeitung am höchsten entwickelt. Viele Opfergeräte, die die Könige der Shang bei Gedenkfeiern für ihre Ahnen benutzten, waren aus Bronze. Die Bronzewaren, die während der Shang-Zeit und in den späteren Dynastien bei Regierungszeremonien, Banketten, Opfer- und Totenfeiern verwendet wurden, waren sowohl Gebrauchsgegenstände als auch Symbole der Macht und des Status ihrer Benutzer. Dies unterscheidet sie von Bronzewaren anderer Länder.

Auf die Shang folgte die Zhou-Dynastie (11. Jahrhundert—256 v. Chr.). Das Zhou-Regime war eine Diktatur des Sklavenhalteradels. Während der Zhou wurde die Lehenspolitik durchgeführt. Danach gab der König der Zhou seinen Verwandten und Ministern Ackerboden und Menschen, die von der Kultivierung dieses Bodens lebten, zu Lehen. Alle Lehensfürsten mußten regelmäßig beim Zhou-König zur Audienz erscheinen und dem Königshaus Tribut zahlen. Von dieser Lehenspolitik profitierten die Vasallen, die mit dem Königshaus verwandt waren. Sie stärkten auch die Macht der Adelsfamilien, die mit der Zhou-Dynastie zwar nicht verwandt waren, sich jedoch auch nicht gegen ihre Autorität aussprachen. Auf diese Weise sicherte die Zhou-Dynastie sich die allgemeine Unterstützung durch den Adel.

Ritualbronzekessel mit der Darstellung eines Tiergesichts und einem Muster aus Nägeln, Frühzeit der Shang-Dynastie

Bronzener Menschenkopf aus der mittleren Zeit der Shang-Dynastie, freigelegt in den Ruinen Sanxingdui in Guanghan, Sichuan

Die Zhou-Dynastie errichtete ein patriarchalisches Familiensystem, in dem innerhalb der Familien zwischen Haupt- und Nebenlinien unterschieden wurde. Der König machte nur den ältesten Sohn seiner Frau zum Thronerben. Das war die Hauptlinie. Die anderen Söhne seiner Frau und seiner Konkubinen wurden Häupter der Nebenlinien: die Fürsten. Diese Vasallenherren errichteten in ihren Lehnsstaaten dasselbe Abstammungssystem mit einer Hauptlinie und mehreren Nebenlinien. Ein *Dafu* (großer Beamter) gehörte im Verhältnis zum Vasallenherrn einer Nebenlinie an, doch in seinem eigenen Lehen behielt er das System bei, wonach der erste Sohn seiner Frau der rechtmäßige Erbe der Hauplinie war. Das Lehenssystem der Zhou-Dynastie wurde später abgeschafft. Doch das patriarchalische Familiensystem sollte in China mehr als 2000 Jahre existieren.

771 v. Chr. wurde das Territorium der Zhou von einem Hirtenstamm aus dem Nordwesten erobert. 770 v. Chr. verlegte die Zhou-Dynastie ihre Hauptstadt von Westen nach Osten, nach Luoyi (das heutige Luoyang). Deshalb wird die Zhou vor 771 v. Chr. als die Westliche Zhou, die nach 771 v. Chr. als die Östliche Zhou bezeichnet. Gewöhnlich wird die Östliche Zhou in zwei Abschnitte unterteilt—die Zeit von 770 v. Chr. bis 476 v. Chr. ist als Frühlings- und Herbstperiode bekannt, der zweite Abschnitt, d. h. von 475 v. Chr. bis 221 v. Chr., als die Zeit der Streitenden Reiche.

Die Östliche Zhou-Dynastie konnte keine stabile Herrschaft errichten, obwohl sie einige Jahrhunderte andauerte. Obwohl alle Fürstentümer der Herrschaft der Östlichen Zhou-Dynastie unterstanden, wurde dieser Herrschaftsanspruchs in der Realität einfach ignoriert. Deshalb war die Zeit der Östlichen Zhou-Dynastie von großer politischer Unruhe gekennzeichnet. Die Entwicklung der gesellschaftlichen Produktivkräfte in diesem Zeitabschnitt war gekennzeichnet durch den steigenden Gebrauch von Eisenwerkzeugen, die Errichtung von Wasserbauprojekten und den allgemeinen Einsatz von Zugtieren in der Landwirtschaft. Dadurch wurde die Landwirtschaft intensiviert und die Produktivität erhöht. Mit dem Aufschwung der landwirtschaftlichen Produktion entwickelte sich auch der Handel.

Ständige soziale Umwälzungen brachen allmählich das Kultur- und Literaturmonopol des Adels, das schon in der Westlichen Zhou existiert hatte. Viele Gelehrte bürgerlicher, also nicht adeliger Abstammung, reisten durch andere Staaten und propagierten ihre politischen Ideen. Besonders während der Zeit der Streitenden Reiche herrschte ein reges Geistesleben. Es kamen viele philosophische Richtungen auf, die miteinander im Wettstreit lagen. Diese Denkschulen veröffentlichten Schriften, um ihre eigenen Auffassungen zu popularisieren und andere Schulen zu kritisieren. Repräsentanten dieser Denkschulen, welche die Interessen unterschiedlicher Gesellschaftsschichten vertraten, stellten eigene Thesen zu Regierung und Verwaltung des Staates auf und äußerten frei ihre Meinung zu philosophischen Fragen und moralischen Prinzipien, so dass „hundert Schulen miteinander wetteiferten". All diese Ideen und Theorien der unterschiedlichen Denkrichtungen zu den Bereichen Politik, Philosophie, Literatur, Kunst und Militär während dieses Zeitabschnitts schufen die Grundlage für die Entwicklung der chinesischen Kultur und der wissenschaftlichen

Forschung in den folgenden über 2000 Jahren. Unter diesen Schulen ist besonders die konfuzianische Schule zu erwähnen.

Im Jahre 221 v. Chr. eroberte der Staat Qin die sechs mit ihm rivalisierenden Staaten (Qi, Chu, Yan, Han, Zhao und Wei), beendete damit den Separatismus der Streitenden Reiche und gründete den ersten zentralistischen, einheitlichen feudalen Nationalitätenstaat der chinesischen Geschichte—die Qin-Dynastie (221—206). Angesichts dieses gewaltigen Herrschaftsgebietes beschloß der König Ying Zheng des Staates Qin, sich den vornehmeren Titel Erster Kaiser (Shi Huang Di, allgemeinen auch als Qin Shi Huang bekannt) zu verleihen.

Der Erste Kaiser errichtete ein vollständiges autokratisches Verwaltungssystem, das vom Kaiserhof bis zu den unteren Ebenen reichte. Sein Reich war in mehrere Präfekturen aufgeteilt, von denen jede aus einer Anzahl von Kreisen bestand. Die Präfekturen und Kreise wurden von den entsprechenden Gegenstücken zu einem Premierminister, der am Hofe den Kaiser bei der Regierung des Reiches unterstützte, einem Marschall und einem Zensor auf Zentralebene verwaltet. Dieses zentralisierte Verwaltungssystem dauerte bis zum Sturz der Qing-Dynastie im Jahre 1911.

Der Erste Kaiser förderte den feudalen Grundbesitz und baute das Verkehrsnetz aus. Zwecks besserer Regierung befahl er die Standardisierung von Schrift sowie Währung, Maßen und Gewichten. Diese Vereinheitlichung begünstigte die Entwicklung von Kultur, Produktion und Handel.

Um Kultur und Ideologie der vorher herrschenden Adelsklasse zu vernichten und so seine Herrschaft zu festigen, befahl der Erste Kaiser, unerwünschte Bücher zu verbrennen und andersdenkende Gelehrte lebendig zu begraben sowie alles Kriegsgerät in den Händen des Volkes zu zerstören. Dabei wurde eine große Anzahl von Büchern verbrannt, und nur Werke medizinischen, astronomischen und landwirtschaftlichen

Inhalts blieben verschont. So verlöschte der fruchtbare Ideenwettstreit, wie er seit der Östlichen Zhou existiert hatte.

Um die südwärts marschierenden Adligen der nördlichen Xiongnu (Hunnen) zurückzuhalten, befahl der Erste Kaiser, die einzelnen Mauern, die früher von verschiedenen Staaten zur Verteidigung ihres Landes gebaut worden waren, miteinander zu verbinden. Daraus entstanden die Anfänge der weltbekannten „Großen Mauer". Diese Verteidigungsanlage erstreckte sich von Westen nach Osten über 5000 Kilometer. Der Erste Kaiser Qin Shi Huang war nur darauf bedacht, große Taten zu vollbringen und Verdienste zu erwerben. Kurz nach seiner Thronbesteigung befahl er, über das Meer zu fahren und ein Langlebigkeitselixier zu suchen. Gleichzeitig ordnete er den Bau seines Mausoleums im Kreis Lintong bei Xi'an, Provinz Shaanxi, an. In

General

Krieger und Pferde der Terrakottaarmee des Qin Shi Huang bei seinem Mausoleum

drei Gruben am Fuß des Lishan-Berges, ungefähr eineinhalb Kilometer östlich des Mausoleums des Qin Shi Huang, wurden mehr als 7000 lebensgroße Tonsoldaten, mehr als 600 Tonpferde, über 100 Streitwagen und eine große Anzahl von Bronzewaffen freigelegt. Diese Tonkrieger und –pferde sowie andere historische Gegenstände bieten wervolles Material zur Erforschung der Geschichte, des Militärwesens, der Kultur und Kunst der Qin-Dynastie. Das bisher freigelegte Areal entspricht knapp einem Viertel des Umfangs des ganzen Mausoleums. Daher weiß man bisher nicht, wie viele historisch wertvolle Kulturgegenstände in Qin Shi Huangs Mausoleum noch begraben liegen.

Die Qin-Dynastie war eine kurzlebige Dynastie. Aber sie hinterließ ein tiefes Brandmal in der chinesischen Geschichte. Auf den Untergang der Qin-Dynastie folgte die Han-Dynastie. Die Geschichte der Han-Dynastie wird in zwei Perioden aufgeteilt: die Westliche Han- (206 v. Chr.—8 n. Chr.) und die Östliche Han-Zeit (25—220).

Während der Han-Dynastie wurde die Entwicklung des Handels zugunsten einer stärkeren Entwicklung der Landwirtschaft eingeschränkt. Deshalb gediehen in der Anfangsphase der Han-Zeit Landwirtschaft und Handwerk besonders. Die ersten Kaiser der Han-Dynastie verrichteten einmal im Jahr persönlich die Feldarbeit, und die Kaiserinnen pflanzten persönlich Maulbeerbäume und züchteten Seidenraupen. Damit wollten sie den Bauern ein Beispiel geben. Infolgedessen entwickelten sich die Seidenweberei und andere Handwerkszweige rapide. Doch die Kaufleute wurden streng kontrolliert. Beispielsweise war es für einen Händler verboten, Seidenkleidung zu tragen. Händler und deren Kinder durften auch keine Beamten werden, und es wurden hohe Steuern von ihnen erhoben. In der Han-Dynastie wurde die Papierherstellungstechnik erfunden und das echte Porzellan hergestellt. Im 1. Jahrhundert n. Chr. zählte die Han-Dynastie 59,5 Millionen Menschen. Viele Ziegelbasreliefs aus der

Das bronzene „Fliegende Pferd", das in einem han-zeitlichen Grab im Kreis Wuwei, Gansu, gefunden wurde. Das Tier, in vollem Galopp dargestellt, hält sich im Gleichgewicht auf einer Schwalbe.

Han-Zeit beschreiben das damalige Gesellschaftsleben—Feldarbeit, Salzgewinnung, Seidenraupenzucht und den Vorgang des Webens durch die Frauen, die Arbeit in einer Textilmanufaktur der reichen Familien und Szenen von Gesang und Tanz, Akrobatik und Zauberkunst am Adelshof.

In der Anfangszeit der Han waren die Xiongnu (Hunnen) im Norden sehr mächtig. Sie gerieten am nördlichen Gebiet des Reiches immer wieder mit der Han-Dynastie in Konflikt. Gleichzeitig kontrollierten die Xiongnu die Kleinstaaten im heutigen Xinjiang und im heutigen Ostasien. Kaiser Wudi (Regierungsperiode: 140—87 v. Chr.) ließ mehrere Feldzüge gegen die Hunnen durchführen, mit dem Ergebnis, dass einige Stämme der Hunnen sich der Han-Dynastie unterwarfen und zu Vasallenstaaten wurden. Die anderen Hunnen zogen sich weiter nach Westen zurück. Seitdem gab es im Norden des Reiches keine

Ziegelbasrelief zum Thema Ernte aus einem han-zeitlichen Grab in Sichuan

Bedrohung mehr. Vom Jahre 138 v. Chr. an führte Zhang Qian als Sondergesandter des Kaiserhofs zweimal eine Gesandtschaft nach Xi Yu (die Westlichen Regionen, alte chinesische Bezeichnung für das Gebiet westlich vom Yumen-Paß, das das heutige Xinjiang und Teile Zentral- und Westasie numfasst -- *der Übers.*). Dadurch wurde die Verbindung zwischen der Han-Dynastie und verschiedenen Staaten im Westen hergestellt. Seitdem wurde die chinesische Technik der Eisenverhüttung, des Brunnenbaus und des Kanalwesens auch dort bekannt. Außerdem wurden prächtige Seidenwaren und viele andere Produkte Chinas regelmäßig in die Länder in den Westlichen Regionen ausgeführt. Umgekehrt gelangte eine Reihe von Kulturpflanzen aus den Westlichen Regionen nach China, aber auch künstlerische Einflüsse gab es. Seit der Han-Zeit trägt die Mehrheitsgruppe unter den Völkern Chinas den Namen „Han-Chinesen."

Während der Han-Dynastie wurde die konfuzianische Lehre zur orthodoxen Ideologie des Bildungswesens bestimmt. Schon damals war das Modell für die Auswahl von Zivilbeamten durch Examina erkenntlich.

Der Buddhismus, der in Nepal und Indien entstand, war im 1. Jahrhundert v. Chr. schon in die Westlichen Regionen vorgedrungen, von wo aus er später entlang der Handelswege bis nach Zentralchina gelangte. Dank der Unterstützung durch den Kaiserhof breitete er sich schnell aus.

Während der Han-Dynastie erlebte die Kultur einen Höhepunkt. Der berühmte Historiker Sima Qian (ca. 145—90 v. Chr.) verfaßte die erste vollständige Geschichte Chinas, das *Shiji* (*Historische Aufzeichnungen*). Er führte mit seinem Werk die Verwendung von Biographien in die Geschichtsschreibung ein. Sein Werk ist eine 130bändige allgemeine Geschichte Chinas, die von den Legenden aus der Zeit des mythischen Kaisers Huang Di (Gelber Kaiser) über die Ereignisse in den Dynastien Shang und Zhou, die Umwälzungen in der Frühlings- und Herbstperiode sowie in der Zeit der Streitenden Reiche, den Aufstieg und Fall der Qin-Dynastie bis zu Entstehen und Festigung der Westlichen Han-Dynastie reichte. Es hatte einen gewaltigen Einfluß auf die spätere Geschichtswissenschaft und Literatur Chinas.

Nach der Han-Dynastie befand sich China längerfristig in einem zersplitterten und chaotischen Zustand. In den späteren Jahren der Östlichen Han-Dynastie entwickelte sich die Feudalgesellschaft in

Wandgemälde über die Jagd in einer Höhle der Mogao-Grotten bei Dunhuang, Gansu (Westliche Wei-Dynastie, 535—556)

China während einer Periode der Uneinigkeit. Dazu gehörten die Drei Reiche, die Westliche und Östliche Jin-Dynastie, die Südlichen und Nördlichen Dynastien und die kurzlebige Sui-Dynastie. Erst in der Tang-Dynastie wurde das Land wieder vereinigt.

Während der Periode der Drei Reiche standen sich die drei rivalisierenden Staaten Wei (220—265) in Nordchina, Shu (221—263) in Südwestchina und Wu (222—280) am Unterlauf des Yangtse gegenüber. In einem jahrzehntelang andauernden Krieg besiegte der Staat Wei schließlich den Staat Shu. Kurz danach usurpierte Sima Yan, ein Minister des Staates Wei, die Führung und verfälschte dann den Regierungsnamen von Wei zu Jin. In der Geschichte wird Jin als die Westliche Jin-Dynastie (265—316) geführt. Im Jahre 280 vernichtete die Westliche Jin den Staat Wu und vereinte das Land.

Um die Staatsmacht kämpften dann acht Fürsten der kaiserlichen Familie der Westlichen Jin-Dynastie über einen Zeitraum von 16 Jahren gegeneinander. Diese mörderischen Kriege zerstörten die Volkswirtschaft, dezimierten die Bevölkerung und machten Millionen Menschen heimatlos. Die Regierung der Westlichen Jin war gelähmt. Endlich, im Jahre 316, ging die Dynastie zugrunde. Im Jahr darauf gründete Sima Rui, ein Angehöriger des Königshauses der Jin, mit Untersützung jener Adligen und hohen Beamten, die während der mörderischen Kriege nach Südchina geflohen waren, die Östliche Jin-Dynastie (317—420), die mehr als 100 Jahre über die Gebiete Südchinas herrschte.

Vom Jahre 420 (Untergang der Östlichen Jin) bis zum Jahre 589, als China wiedervereinigt wurde, existierten in Südchina vier kurzlebige Dynastien—Song, Qi, Liang und Chen, die Nanjing zu ihrer Hanptstadt machten. Sie werden alle zusammen die Südlichen Dynastien genannt.

Von 304 bis 439 errichteten fünf nicht-hanchinesische Völker in Nordchina und die Han-Chinesen in Südwestchina nacheinander jeweils

Mit der Entwicklung des Buddhismus in China erlebte zwischen dem 5. und 8. Jahrhundert der Bau von Grotten einen großen Aufschwung. *Bild:* Statuen der Longmen-Grotten bei Luoyang, Provinz Henan

eigene Staaten. Sie sind als die „Sechzehn Staaten" in die Geschichte eingegangen. 439 vereinigte der Staat der Nördlichen Wei den durch die Sechzehn Staaten geteilten Norden. Kurz danach verfiel Nordchina in mehrere Einflußsphären. Daher gab es 439—581 in Nordchina fünf Regime, die in der Geschichte als die Nördlichen Dynastien bekannt sind. Die Südlichen Dynastien und die Nördlichen Dynastien waren parallel existierende Dynastien und werden in der Geschichtsschreibung zusammen als die Südlichen und Nördlichen Dynastien (420—589) bezeichnet.

Vom 3.—6. Jahrhundert gab es in Südchina wenige Kriegswirren, so dass viele aus dem Norden in den Süden übersiedelten. Sie brachten fortgeschrittene landwirtschaftliche Techniken nach Südchina, was die Entwicklung der Wirtschaft Südchinas beschleunigte. In Nordchina drangen die Angehörigen verschiedener Nomadenstämme aus den Grenzgebieten Nordwestchinas nacheinander in das Landesinnere vor. Sie lebten zusammen mit Han-Chinesen und lernten von ihnen den Feldanbau. So wurden sie nach und nach sesshaft und traten durch Heirat in verwandtschaftliche Beziehungen mit den Han-Chinesen. Sie arbeiteten Gesetze aus, gründeten Schulen und förderten die Lehre der konfuzianischen Schule. Die sich über lange Zeit hinziehende wechselseitige Verschmelzung förderte die Entwicklung der Produktion und den gesellschaftlichen Fortschritt erheblich.

In dem chaotischen Zeitraum von den Drei Reichen bis zu den Südlichen und Nördlichen Dynastien erhielten Kultur und Wissenschaft jedoch neue Impulse. Einige berühmte Kalligraphen, Maler, Literaten und Wissenschaftler gingen hervor. Überall entstanden buddhistische Grotten, so die Longmen-Grotten bei Luoyang, Provinz Henan, und die Yungang-Grotten bei Datong, Provinz Shanxi, deren Bauarbeit in der Mitte und Spätzeit des 5. Jahrhunderts begann.

Im Jahre 581 errichtete Yang Jian (541—604) als Kaiser Wendi die Sui-Dynastie (581—618). Wie die Qin-Dynastie, die China im Jahr 221 v. Chr. vereinigte, war auch die Sui eine das ganze Land umfassende feudale Dynastie. Auch sie zerfiel bereits nach wenigen Jahrzehnten. Im Jahre 589 zerschlug Wendi die im Süden herrschende Chen und vereinigte ganz China.

Für den Aufbau einer Zentralregierung ließ Kaiser Wendi sechs Ministerien errichten. Es waren die Ministerien für Personal, Finanzen, Ritus, Militär, Justiz und Bildungswesen. Außerdem wurde das

Ausschnitt eines Gemäldes, das darstellt, wie der Tang-Kaiser Li Shimin (Regierungszeit: 627—649) Tubo-Gesandten eine Audienz gewährt

Dreifarbig glasiertes Kamel mit einer Musikkapelle auf seinem Rücken aus der Tang-Dynastie

kaiserliche Prüfungssystem eingerichtet und die frühere Methode zur Auswahl von Beamten abgeschafft. Ein anderes bedeutendes Ergebnis der Sui-Zeit war der Bau des Großen Kanals von Beijing nach Hangzhou. Er erstreckte sich etwa 2000 km. Als wichtige Wasserader förderte er die wirtschaftliche Entwicklung und die Einheit des Landes. Einige Abschnitte des Kanals sind bis heute befahrbar.

Wie die Qin-Dynastie war auch die Sui-Dynastie eine kurzlebige Dynastie, der ein neues Regime, die Tang-Dynastie (618—907), folgte.

In den frühen Jahren der Tang-Dynastie war der Staat wegen des aufgeklärten Geistes der Herrscher und der pragmatischen Wirtschaftspolitk relativ stabil. Die soziale Lage weitgehend gefestigt und die allgemeine Arbeitsmoral hoch, also günstige Bedingungen für die Entwicklung der Volkswirtschaft und den Aufschwung des gesellschaftlichen Lebens.

In seiner Blütezeit entwickelte das Tang-Reich ausgedehnte Kontakte mit mehr als 70 Ländern und Gebieten. Um diese engen kulturellen Verbindungen und den lebhaften Handelsverkehr weiter zu stärken, legte die Zentralregierung der Tang fest, dass für Ausländer keine Steuern zu erheben seien. Weitere Bestimmungen ermöglichten Ausländern den langfristigen Verbleib in China und die Ehe mit

Chinesen oder Chinesinnen. Nach Teilnahme an den kaiserlichen Prüfungen konnten sie auch in den Beamtendienst treten. Damals entwickelten sich die heutigen Städte Guangzhou und Quanzhou zu internationalen Handelshäfen. Chang'an (heute Xi'an), Hauptstadt des Tang-Reiches, die damals eine Millionen Menschen zählte, wurde nicht nur das Zentrum des Landes, sondern eine echte Weltstadt. Hier lebten viele ausländische Kaufleute und diplomatische Vertreter, Studenten, Künstler und Anhänger verschiedener Religionen aus Persien, dem Dashi (das Arabische Großreich), dem Tianzhu (heutige Länder auf der indischen Halbinsel), Japan und dem Oströmischen Reich. Durch den Verkehr mit dem Ausland zu jener Zeit wurde die Herstellung von Papier, Porzellan und Textilien in das Arabische Großreich und von dort nach Afrika und Europa gebracht. Damals waren die Japaner an der chinesischen Kultur sehr interessiert und nahmen sich das politische System, die Architektur des Tang-Reichs und sogar die Kleidung der Tang-Frauen zum Vorbild. Viele Fundstücke in Japan verweisen auf den starken Einfluss der Tang.

Als Folge seiner offenen Außenpolitik genoß das Tang-Reich in der Welt hohes Ansehen, und in verschiedenen Ländern wurden die Chinesen als „Tang-Chinesen" bezeichnet, ein Name, der sich in einigen wenigen Ländern bis heute erhalten hat.

In der Blütezeit der Tang kamen neue Religionen nach China, z. B. das Christentum aus Rom und der Islam aus Arabien. Das Christentum heißt im Chinesischen Jing-Kirche. Im Park der Gedenkstelen in Xi'an gibt es eine große Tafel aus der Tang-Zeit mit der Überschrift „Daqin Jingjiao Liuxing Zhongguo Bei" (Stele über den Einzug der Jing-Kirche Daqins in China). Daqin bezeichnet hier das alte Rom. Unter dem Schutz einer Politik der Glaubensfreiheit lebten die Anhänger einheimischer und fremder Religionen friedlich zusammen. Der Buddhismus war die beliebteste Religion während der Tang-Zeit.

Die Tang gilt als Blütezeit des Bildungswesens und der Wissenschaft. Der Kaiserhof schenkte dem Bildungswesen große Aufmerksamkeit, was viele junge Leute aus den Grenzgebieten und Nachbarländern anzog. In den Lehranstalten wurden Medizin, Mathematik, Astronomie und andere Fächer unterrichtet. Die Holzblock-Drucktechnik, die in der Sui-Dynastie erfunden worden war, wurde in der Tang weit verbreitet. Man druckte landwirtschaftliche Almanache, Kalender, medizinische Bücher und chinesische Schreibvorlagen in großer Zahl, was die Verbreitung der Kultur intensiv förderte. In der späteren Tang begann man damit, Schießpulver auch militärisch einzusetzen. Später wurde das Schießpulver zusammen mit Kenntnissen der chinesischen Medizin in die Länder Arabiens gebracht. Von dort gelangte das Schießpulver im 13. oder 14. Jahrhundert nach Europa.

Dank der verschiedenen ausländischen Einflüsse übertraf die Kultur

„Frühlingsausflug hochgestellter Adelsfrauen",
ein Bild aus der Tang-Zeit (Ausschnitt)

des Goldenen Zeitalters der Tang-Dynastie die Leistungen vorangegangener Dynastien. Dichtkunst, Prosa, Kalligraphie, Malerei und Grottenkunst, sie alle erlebten eine Blüte. Die Mogao-Grotten gelten als kulturelle Schatzkammer der Welt. Tanz und Musik der Tang-Dynastie nahmen viele Elemente fremder Kulturen in sich auf, was auf einen lebhaften Kulturaustausch zwischen der Tang und dem Ausland schießen lässt.

Nach der Tang-Dynastie gab es in der Zeit von 907 bis 960 in Zentralchina fünf feudale Separatregime, die als die „Fünf Dynastien" bezeichnet werden, und in Südchina neun separatistische Regime. die zusammen mit einem in Nordchina die „Zehn Reiche" genannt werden.

Der fortwährende Kampf der Separatregime in der Periode der Fünf Dynastien und der Zehn Reiche hatte für die Volkswirtschaft verheerende Folgen. Im Jahre 960 gründete Zhao Kuangyin (927—976) die Song-Dynastie mit der Hauptstadt Kaifeng (auch als Bianjing bekannt) in der heutigen Provinz Henan. In die Geschichte ist diese Dynastie als Nördliche Song (960—1126) eingegangen. Zhao Kuangyin vernichtete nacheinander einige selbständige Staaten und vereinigte

„Flußufer-Szene am Qingming-Fest" aus der Song-Zeit (Ausschnitt), die das lebhafte Treiben in der Hauptstadt Bianliang (heute Kaifeng, Henan) der Nördlichen Song-Dynastie beschreibt

Porzellankissen aus der Song-Dynastie

den größten Teil Chinas.

Um die Zentralmacht zu stärken und die Wirtschaft wiederzubeleben, wurden gleich zu Anfang der Nördlichen Song-Dynastie entsprechende Maßnahmen ergriffen. Doch aus dem Zeitabschnitt der Fünf Dynastien und Zehn Reiche existierten in Nordchina noch einige Regime nebeneinander. Häufig drangen sie ins Land der Nördlichen Song ein. Schließlich sah sich die Nördliche Song aufgrund einer breiten Invasion aus dem Norden gezwungen, ihre Hauptstadt nach Südchina zu verlegen. Schließlich machte sie Hangzhou in der heutigen Provinz Zhejiang zu ihrer Hauptstadt. Die folgende Zeit wird in der Geschichte als die Südliche Song-Dynastie (1127—1279) bezeichnet.

Militärisch und diplomatisch war die Song-Dynastie relativ schwach,

doch die Wirtschaft erlebte einen Auschwung. Vom 10. bis zum 13. Jahrhundert gab es in Südchina nur wenige kriegerische Auseinandersetzungen, und die Bewohner Nordchinas übersiedelten noch einmal in großer Anzahl nach dem Süden um. Folglich entwickelte sich die Landwirtschaft in Südchina weit schneller als die in Nordchina. Auch der Schiffstransport auf dem Meer und den Binnenwasserstraßen war gut entwickelt. So wurde Südchina der wirtschaftliche Motor des Landes.

Infolge der rapiden Entwicklung von Gewerbe und Handel waren viele Marktflecken entstanden. Unter ihnen gab es Zentren für Druckerei, für das Sammeln und Verteilen von Waren und für die Porzellanherstellung. In jedem beliebigen Ort konnte man alltägliche Gebrauchsartikel kaufen. In den Städten gab es die sogenannte „Washe", eine Stätte, in der man sich Opern, Akrobatik, Zauber- und Kampfkunst ansehen, aber auch essen und trinken oder Einkäufe machen konnte.

In der Zeit zwischen 1008 und 1016 brachten 16 reiche Händler aus der heutigen Provinz Sichuan gemeinsam die ersten Banknoten namens „Jiaozi" in Umlauf, das früheste Papiergeld der Welt.

Aufzeichnungen zufolge machte der chinesische Außenhandel während der Nördlichen und Südlichen Song-Dynastie schnelle Fortschritte. China stand damals in wirtschaftlicher Beziehung zu mehr als 20 Ländern. Dazu gehörten Länder in Südostasien, auf der arabischen Halbinsel und entlang der Küstenlinie des Indischen Ozeans sowie Länder an der Ostküste Afrikas. Damals standen der chinesische Schiffsbau und die Seefahrt an führender Stellung in der Welt, ein weiterer Punkt, der den Außenhandel günstig beeinflusste. Statistiken zufolge machte der Anteil des Außenhandels in der Mitte des 12. Jahrhunderts 15 Prozent der Staatseinnahmen der Dynastie aus.

In der chinesischen Geschichte gilt die Song-Dynastie als Blütezeit der Wissenschaft. Die Druckkunst mit beweglichen Lettern, der

Kompaß und der hydraulische Webstuhl kamen in China allgemein in Gebrauch. Später wurden sie in die Länder Asiens und Europas eingeführt. Im 17. Jahrhundert sagte der englische Philosoph Francis Bacon (1561—1626) in seinem Hauptwerk „Novum Organum": „Wir sollten uns den Nutzen, die Kraft und die gewaltigen Auswirkungen verschiedener Erfindungen vergegenwärtigen. Ein lehrreiches Beispiel dafür sind die Druckkunst, das Schießpulver und der Kompaß. Diese drei Dinge haben den Zustand aller Dinge auf der ganzen Welt verändert: Das erste die literarische Arbeit, das zweite das Militärwesen und das dritte die Schiffahrt. Diese Änderungen sind so groß, dass es kein Reich, keine religiöse Schule und keine Persönlichkeit gibt, deren Kraft und Einfluß größer sind als Kraft und Einfluß dieser drei Erfindungen auf die Menschheit."

Während der Song-Dynastie nahm die konfuzianische Lehre Inhalte des Buddhismus und des Taoismus in sich auf. Das Kaiserliche Prüfungssystem wurde weiter vervollständigt. Überall wurden staatliche und private Lehranstalten errichtet. Nicht wenige private höhere Lehranstalten sind bis heute erhalten. Die Song-Zeit sah nach der Tang-Dynastie einen weiteren Höhepunkt

Feldarbeit und Hausarbeit, ein Bild aus der Yuan-Zeit

in der Entwicklung von Poesie im *Ci*-Stil (eine Art von Liedgedicht mit unregelmäßigen Versen) sowie von Malerei und Kalligraphie.

Anfang des 13. Jahrhunderts vereinigte Dschingis Khan die mongolischen Stämme. Danach führten er und seine Nachfolger einen breit angelegten Expansionskrieg. Schnell führten sie ihren Feldzug in Richtung Süden und vernichteten einige kleinere Reiche und die Song-Dynastie. Bald darauf eroberten die Mongolen Zentralasien. Von dort aus hatten sie ihren Einfluß auf Einzugsgebiete der Donau in Europa ausgedehnt. So entstand ein Reich, dessen Gebiet sich von Asien bis nach Europa erstreckte. Aber es spaltete sich schnell in einige selbständige Großkhanate. Im Jahre 1271 gründete der Mongolenherrscher Kublai Khan, ein Enkel von Dschingis Khan, die Yuan-Dynastie (1279—1368) mit der Hauptstadt Dadu (heute Beijing). Sie war die erste einheitliche, nicht vom han-chinesischen Volk gegründete Herrschaft in China. Die Vereinigung Chinas unter der Yuan-Dynastie beendete den Zustand der Zersplitterung.

Von den Fünf Dynastien bis zur Yuan waren 460 Jahre (907—1368) vergangen. In dieser Zeit hatten die gesellschaftlichen Beziehungen entscheidende Veränderungen erfahren. Wie in der Tang-Dynastie ließen sich viele Perser und Araber, die sich zum Islam bekannten, ab dem 13. Jahrhundert in China nieder. Sie lebten zusammen mit den Han-Chinesen und Mongolen und verheirateten sich mit diesen. Sie wurden allmählich zu einer neuen Nationalität Chinas, den Hui.

In der Yuan-Dynastie pflegte China einen lebhaften Handelskontakt mit den Ländern Asiens, Afrikas und Europas. Die Hauptexportartikel waren Textilien und Porzellan. Quanzhou in der Provinz Fujian war damals der größte Außenhandelshafen. Hier ankerten häufig einige Hundert Großraumschiffe. Die meisten fremden Kaufleute waren Moslems. Sie errichteten in Quanzhou Moscheen und rings um diese ihre Wohnviertel. Später widmeten sich diese Fremden neben dem

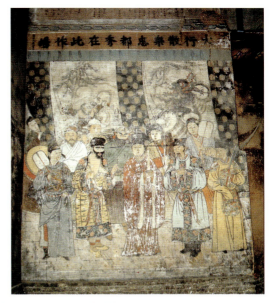

Aufführung eines *Zaju*-Dramas
(Wandgemälde aus der Yuan-Zeit)

Handel auch anderen Erwerbszweigen. Manche von ihnen bekeideten Ämter auf allen Ebenen der Yuan-Verwaltung. Der bekannteste „Gastbeamte" war der Venezianer Marco Polo. Während eines Aufenthalts von mehr als 10 Jahren unternahm er ausgedehnte Reisen durch China. In seinem Werk *Reisebeschreibungen (Les Voyages)* gibt er einen anschaulichen Bericht über Wohlstand und Macht des damaligen China, über seinen blühenden Handel und sein florierendes Handwerk sowie über die Pracht einiger Orte, z. B. die Yuan-Hauptstadt Dadu (heute Beijing) und Hangzhou. Bis heute sind seine *Reisebeschreibungen* eine wertvolle Quelle für das Studium der Geschichte der Yuan-Dynastie und ihrer Beziehungen zum Westen.

Die Yuan-Dynastie war ein wichtiger Abschnitt in der Entwicklungsgeschichte von Literatur und Kunst. Besonders zu erwähnen ist in diesem Zusammenhang das Singdrama. In der Hauptstadt Dadu lebten damals viele berühmte Dramatiker, Dichter und Maler. Unter den Dramatikern war Guan Hanqing (?—1297), in Dadu geboren, am berühmtesten. Er schrieb mehr als 60 Dramen. Später bezeichnete man ihn als „William Shakespeare des Ostens". Die Yuan brachte auch eine Reihe berühmter Maler hervor. Ihre Motive waren in der Hauptsache Landschaften, Blumen und Vögel.

Im Jahre 1368 errichtete Zhu Yuanzhang als Kaiser Taizu die Ming-

Dynastie (1368—1644) und machte Nanjing zu seiner Hauptstadt. Seine Truppen vertrieben den letzten Yuan-Kaiser mit einem Häuflein mongolischer Adliger aus Beijing. Damit fand die Herrschaft der Yuan ihr Ende. Nach dem Tode des Kaisers Taizu bemächtigte sich sein vierter Sohn Zhu Di als Kaiser Chengzu, nachdem er seinen Neffen Zhu Yunwen (Kaisername Jianwen) vertrieben hatte, gewaltsam des Thrones und verlegte die Hauptstadt nach Beijing.

In den frühen Jahren der Ming-Dynastie war der Staat sehr stark. Die fortgeschrittene Technik im Schiffbau führte zu einem Aufschwung in der Seeschiffahrt. Im Jahre 1405, unter Kaiser Yongle, schickte die Regierung Zheng He (1371—1435) als Gesandten nach Südostasien westlich des heutigen Brunei und in den Indischen Ozean. Bis 1433 unternahm Zheng He mit seiner Flotte insgesamt sieben Seereisen. Innerhalb von knapp 30 Jahren segelte er nach Südasien, zur indischen Halbinsel, nach Persien und zu vielen arabischen Ländern. Seine längste Fahrt führte ihn bis an die Ostküste Afrikas. Jede Seereise wurde mit mehr als 200 Schiffen und einer Besatzung von etwa 27 000 Seeleuten unternommen. Die Schiffe waren beladen mit Seide, Porzellan und anderer wertvoller Ware. Mit Perlen und Juwelen, Aromastoffen und Medikamenten kehrte man nach China zurück. Zheng Hes Seereisen bestätigen, dass die Schiffsbau- und Seefahrttechnik Chinas in der damaligen Welt eine führende Stellung einnahmen.

Im 16. Jahrhundert führte die Ming-Dynastie aus dem Ausland die Süßkartoffel, Mais, Erdnüsse und Tabak ein. Alles fand schnell im ganzen Land Verbreitung. Gleichzeitig erreichte das Handwerk eine noch nie dagewesene Blüte. Viele handwerkliche Produktionszweige wie Porzellanwarenmanufaktur sowie Spinnen und Weben konnten bemerkenswerte technische Fortschritte verzeichnen. Von besonderer Bedeutung waren die Porzellanmanufakturen von Jingdezhen, in denen jährlich Zehntausende Porzellanartikel hergestellt wurden. Da für die

Textilfabrikation entsprechende Betriebsausrüstungen und besondere technische Verfahren nötig waren, die die Möglichkeiten des einzelnen Handwerkers oder einer Familie überstiegen, wurde mit der Bildung von Manufakturen begonnen. In dieser Form der Produktion steckt bereits der Keim der kapitalistischen Produktionsweise. Doch unter dem Einfluß der traditionellen Politik, die die Entwicklung der Industrie und des Handels zugunsten einer stärkeren Entwicklung der Landwirtschaft einschränkte, belegte man die Industrie und den Handel mit einer hohen Steuer. Außerdem wurden die Produktion und Verteilung vieler Waren vom Staat monopolisiert. All dies hemmte die Entwicklung von Indutrie und Handel.

Landwirtschaft, Handwerk, Medizin, Kultur und Kunst hatten während der Ming-Zeit beträchtliche Leistungen aufzuweisen. Gegen Ende der Ming-Dynastie verfaßte der Gelehrte Xu Guangqi (1562—1633) die *Enzyklopädie der Landwirtschaft*, in

Porzellanvase aus der Ming-Zeit

Der besterhaltene Mauerabschnitt aus der Ming-Zeit

der alle Kenntnisse über die landwirtschaftliche Produktion aufgezeichnet sind und erläutert werden. Der Gelehrte Song Yingxing (1587—?) faßte die damaligen landwirtschaftlichen und handwerklichen Erfahrungen in seinem Buch *Tiangong Kaiwu* (Über die Ausnutzung der Schöpfungen der Natur) zusammen. Auf dem Gebiet der Medizin stellte der Gelehrte Li Shizhen das *Bencao Gangmu (Arzneikunde)* zusammen. Die Ming-Zeit brachte auch viele Romane von beachtlichem literarischen Rang hervor. In Südchina waren verschiedene Lokalopern sehr verbreitet.

Im Bereich der Architektur leistete die Ming-Dynastie ebenfalls ihren Beitrag. Viele Abschnitte der Großen Mauer, der Kaiserpalast in Beijing, private Gärten in Suzhou, zahlreiche luxuriöse Anwesen und zahllose zivile Wohnhöfe in Beijing als typische Vertreter sind Meisterstücke der Ming-Zeit. Sowohl was Struktur und Dachform betrifft als auch was Farbe und Ornamentik angeht, weisen diese Anlagen einen unverwechselbaren Stil auf.

Die Qing-Dynastie (1644—1911) war die letzte feudale Dynastie Chinas. Sie wurde von Mandschuren gegründet.

In den ersten mehr als 100 Jahren der Qing-Dynastie waren die

Der „Heilige Weg" bei den 13 Ming-Gräbern im Bezirk Changping, Beijing

Porträts von den 13 bekanntesten Opernschauspielern während der Regierungsperioden Tongzhi (1862-1874) und Guangxu (1875-1908) der Qing-Dynastie

öffentliche Ordnung stabil und die Wirtschaft blühend, was günstige Bedingungen für den Außenhandel schuf. Tee, Porzellan- und Lackwaren, Rohseide und Seidenstoffe wurden nach Europa, Japan und Russland ausgeführt. Industrie und Handel wurden weiter entwickelt. Umfang, Technik und Arbeitsteilung der industriellen Produktion erreichten das bis dahin höchste Niveau. Auf dem Land jedoch war die damalige Wirtschaftsform noch die autarke bäuerliche Einzelwirtschaft und das häusliche Handwerk.

Literatur und Architektur machten auch in der Qing-Dynastie weiter große Fortschritte. Der Roman *Der Traum der Roten Kammer* und die Peking-Oper stammen aus dieser Zeit. In Beijing entstand der Sommerpalast und in Chengde, Provinz Hebei, die Sommerresidenz. Anfang der Qing gab es einige hervorragende Gelehrte. Als Aufklärer befürworteten sie den Evolutionsgedanken und bekämpften die vorherrschende retrogressive Devise der Nachahmung des Altertums. Doch unter der Kontrolle der Qing-Herrscher wurde die Aufklärungsbewegung in Keim erstickt. Daher beschränkten sich viele Gelehrte nach wie vor auf die klassischen Werke der konfuzianischen Schule, die das Denken der Menschen einengten. Eine Zeitlang war China offen für die Wissenschaft und Kultur des Westens einschließlich der Mathematik, der Astronomie, dem Kalenderwesen und der Physik. Der Qing-Kaiser Kangxi (Regierungsperiode:1662—1723) studierte

Die Qianqing-Halle des Kaiserplastes in Beijing, wo die Qing-Kaiser die laufenden Staatsgeschäfte erledigten. In der Mitte steht der Kaiserthron.

selbst die westliche Wissenschaft. Später wurden solche Bestrebungen nur noch halbherzig gefördert. Nicht für die praktische Anwendung, sondern nur als Vorbereitung auf die kaiserlichen Prüfungen bemühten sich die meisten Intellektuellen um Erkenntnisse. Unter diesen Umständen konnte sich die Naturwissenschaft natürlich nicht entwickeln.

Im 19. Jahrhundert trieb die industrielle Revolution den Westen vorwärts, während die Qing-Regierung in China vor allem darauf bedacht war, die Herrschaft des Feudalismus zu festigen, und eine Politik der Selbstisolation betrieb. Demzufolge stand der Außenhandel unter strenger Kontrolle. Der wirtschaftliche und kulturelle Austausch zwischen China und dem Ausland wurde abgebrochen.

Die Korruption und Unfähigkeit der späten Qing-Regierung machten China zu einem rückständigen Land. Im Jahre 1840 entfesselte Großbritannien den Opiumkrieg gegen China. Nur 20 Jahre später begannen Briten und Franzosen gemeinsam einen erneuten Aggressionskrieg gegen China, dessen unrühmlicher Höhepunkt das

Niederbrennen des kaiserlichen Sommerpalasts Yuanmingyuan in Beijing durch britische und französische Truppen war. Sie raubten und plünderten überall, vor allem die zahlreichen Kostbarkeiten, Dokumente und Kulturgegenstände des Sommerpalasts. Danach bildeten die acht Mächte Rußland, Großbritannien, Deutschland, Frankreich, die USA, Japan, Italien und Österreich-Ungarn ein gemeinsames Expeditionsheer zu einem Agressionskrieg gegen China, um China aufzuteilen.

Mit dem Untergang der Qing-Dynastie im Jahre 1911 wurde das mehr als zwei Jahrtausende alte Feudalsystem beendet. In den rund 30 Jahren danach führte das chinesische Volk zunächst einen äußerst harten nationalen Befreiungskrieg und dann einen nicht weniger harten revolutionären Bürgerkrieg. Im Jahre 1949 wurde die Volksrepublik China gegründet. Seidem schreibt das chinesische Volk ein neues Kapitel seiner Geschichte.

Die chinesische Schrift

Lebenskraft der chinesischen Schrift

In China ist die offizielle Sprache Chinesisch, das alle Nationalitäten Chinas sprechen. Chinesisch ist auch eine der sechs Arbeitssprachen der Vereinten Nationen.

Die chinesische Schrift (eigentlich: Han-Schrift) besteht aus den schriftlichen Symbolen der Sprache der Han-Nationalität. Die Buchstabenschrift hat ihre eindeutigen Aussprache- und Rechtsschreibregeln. Im Gegensatz zur Buchstabenschrift ist die chinesische Schrift nicht so einfach. Ein Schriftzeichen der Han-Schrift kann verschiedene Aussprachen haben, und eine Aussprache kann mehrere Bedeutungen haben. Daher ist die Han-Schrift schwer zu lesen und im Gedächtnis zu behalten.

Die Han-Schrift besitzt fünf grundlegende Striche, nämlich 丶 (dian, 点), 一 (heng, 横), 丨 (shu, 竖), 丿 (pie, 撇) und 乙 (zhe, 折). Auf der Grundlage dieser fünf Striche entwickelten sich noch mehr als zehn Striche. Normalerweise besteht ein chinesisches Schriftzeichen aus vier oder fünf Strichen, manche aber auch aus mehr als zehn.

Die Han-Schrift hat eine enorme Menge von Schriftzeichen. Im allgemeinen muß man 6000 bis 7000 Wörter beherrschen. Die Zahl der alltäglich verwendeten Schriftzeichen liegt bei rund 3000. Es ist zwar schwer, die Han- Schrift zu lernen, doch sie besitzt eine große Vitalität.

Die mehr als 3000 Jahre alte Orakelknocheninschrift war die früheste systematische Schrift in China. Nach zahlreichen Fundstücken zu urteilen hatte die chinesische Schrift vor der Orakelknocheninschrift einen langen Entstehungs- und Entwicklungsprozeß. Die alte ägyptische Schrift ist vor über 4000 Jahren, die alte Keilschrift aus Westasien vor 5000 Jahren entstanden. Beide Schriften sind längst verschwunden, doch die chinesische Schrift entwickelt sich bis heute fort.

Durch Analyse und Studium der Struktur und Entstehung der chinesischen Schriftzeichen kann man die Psyche und alte Gebräuche der Chinesen verstehen lernen. Nehmen wir das Schriftzeichen „取" (qu, holen) als Beispiel. Die linke Hälfte dieses Schriftzeichens bedeutet „Ohr", die rechte „Hand". Die Herkunft dieses Schriftzeichens: In alter Zeit wurde im Krieg gefallenen Gegner das linke Ohr abgeschritten. Es diente als Nachweis für Verdienste und wurde in den Listen für Belohnungen registriert. Unter den chinesischen Schriftzeichen gibt es viele, die wie das Schriftzeichen „取" (qu, holen) solch interessante Quellen haben.

Manuskript aus der Tang-Zeit

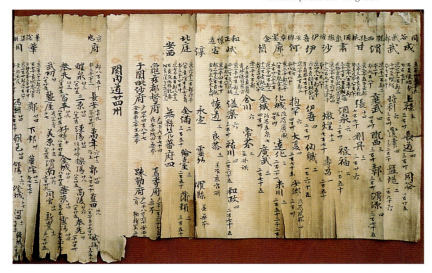

Daher sagen mit dem Studium der chinesischen Schriftzeichen beschäftigste Gelehrte: „Die Quellen der Schriftzeichen zu erforschen ist wie in einem Buch über die Kulturgeschichte Chinas zu blättern."

Die Aussprache vieler chinesischer Schriftzeichen erlebte im Laufe der Zeit eine große Änderung. Aber ihre Bedeutung hat sich nicht verändert. Daher kann man noch heute Texte verstehen, die vor 2000 oder 3000 Jahren geschrieben wurden.

Die Entwicklung der Han-Schrift

Die Han-Schrift durchlief die Entwicklung von den Orakelknocheninschriften und Bronze-Inschriften über kleine Siegelschrift, Normalschrift, Konzeptschrift bis zur Kursiven Schrift (Schreibschrift).

Die Orakelknocheninschriften stammen aus der Zeit der Shang-Dynastie. In der Shang-Zeit waren die Leute sehr abergläubisch. Man suchte nach Prophezeiungen für reiche oder magere Ernten, das Wetter, Sieg oder Niederlage in einem Krieg sowie Erfolge bei der Jagd. Die Schlußfolgerungen aus den Weissagungen wurden in Schildkrötenpanzer oder Knochen anderer Tiere graviert. In den letzten 100 Jahren wurden etwa 150 000 solche Knochen mit Inschriften gefunden. 1700 der Inschriften wurden inzwischen entziffert.

Während der Shang- und der Zhou-Dynastie verstand man es immer besser, Gegenstände aus Bronze wie *Ding* (antikes Kochgefäß mit zwei Handgriffen und drei oder vier Beinen) und Glocken zu gießen, die mit Schriftzeichen oder Mustern versehen wurden. Die Inhalte dieser Inschriften, „Zhongdingwen" oder „Jinwen" (Inschriften auf Glocke und *Ding* oder Inschrift auf

Inschrift auf einem Ochsenknochen, die von einer Opferzeremonie, einer Ausfahrt per Wagen und einer Jagd des Königs der Shang-Dynastie handelt

Bronze) genannt, sind der Name und Status des Besitzers des Bronzegegenstands, der Herstellungsanlaß und wichtige Ereignisse aus jener Zeit. In der Struktur der Schriftzeichen gibt es zwischen den Bronze-Inschriften und den Orakelknocheninschriften keine großen Unterschiede.

Die Siegelschriften, die große und kleine, wurden während der Frühlings- und Herbstperiode sowie in der Zeit der Streitenden Reiche benutzt. Damals war der Aufbau der Schriftzeichen in den verschiedenen Staaten im Einzugsgebiet des Gelben Flusses und des Yangtse nicht gleich. Nachdem das Land 221 v. Chr. von Kaiser Qin Shi Huang geeint worden war, wurden die im Qin-Reich benutzen Schriftzeichen, kleine Siegelschrift genannt, im ganzen Land eingeführt. Bei den Schriftzeichen der kleinen Siegelschrift hat die Bildform bereits stark abgenommen, der Symbolcharakter der Schriftzeichen tritt in den Vordergrund.

Heute haben die Orakelknocheninschrift, die Bronze-Inschrift und die Siegelschrift ihren praktischen Wert verloren. Sie werden nur in der Kalligraphie und Siegelschnitzerei benutzt.

Die kleine Siegelschrift ist schwer zu schreiben und wurde in der Qin-Dynastie nur von den kaiserlichen Behörden benutzt. Später war im Volk die Kanzleischrift verbreitet, die sich aus der kleinen Siegelschrift entwickelt hat. Sie war leichter zu schreiben und verbreitete sich schnell.

Die Normalschrift wird auch Musterschrift genannt. Sie wird seit Ende der Han-Dynastie bis zum heutigen Tag geschrieben. Auch sie hat sich aus der Kanzleischrift entwickelt. Die Normalschrift hat mehr oder weniger quadratische Symbole herausgebildet und sich immer weiter von den Formen der alten chinesischen Schriftzeichen entfernt.

Außerdem gibt es noch die Konzeptschrift (kursorische Schnellschrift) und die Schreibschrift. Erstere ist eine Schreibform der Kanzleischrift. Sie ist schnell und leicht zu schreiben, aber schwer zu lesen. Letztere ist nicht so schwer zu schreiben wie die Normalschrift und nicht so schwer zu lesen wie die Konzeptschrift.

Es gibt im Chinesischen vereinfachte Schriftzeichen (Kurzzeichen) und Langzeichen. Letztere bestehen aus vielen Strichen und sind schwer zu schreiben und zu lesen. Um die Han-Schrift zu standardisieren und ihren Gebrauch zu vereinfachen, wurde seit den fünfziger Jahren des 20. Jahrhunderts mit Unterstützung der Regierung eine Schriftreform durchgeführt, was die Beseitigung des Analphabetentums und die allgemeine Volksbildung beträchtlich förderte. In Hongkong und Macao sowie auf Taiwan werden noch die Langzeichen benutzt.

Wortbildungen in der Han-Schrift

In der Zeit der Streitenden Reiche faßte man sechs Arten der

Wortbildung der chinesischen Schriftzeichen unter dem Begriff „Liushu" (die sechs Arten der Bildung chinesischer Schriftzeichen) zusammen. Nach dem Werk „Shouwen Jiezi" („Erklärung von Sprache und Schrift") von Xu Shen (ca. 58—ca.147 n. Chr.), Wissenschaftler für Schriftenkunde aus der Östlichen Han-Zeit, waren die sechs Arten der Wortbildung Ideogramme, Piktogramme, piktophonetische Zeichen, zusammengesetzte Ideogramme, abgeleitete Charaktere (sich wechselseitig interpretierende oder

Viereckige Bronzekanne mit Inschrift aus der Zeit der Streitenden Reiche

Die chinesische Schrift 43

Vergleich der Schreibtechnik der Piktogramme von den auf Orakelknochen eingeritzten Zeichen und den heute gebräuchlichen Schriftzeichen

Huiyi-Schriftzeichen (eine der sechs Arten der Bildung chinesischer Schriftzeichen) 取 (holen): (von links nach rechts) Ritzzeichen auf Orakelknochen, Inschrift auf Bronze und Normalschrift

Das Schriftzeichen für *Ming* (hell, klar, offen, scharfblickend, aufrichtig, sich über etw. klar sein, nächst) in fünf Schreibstilen (von oben nach unten). kleine Siegelschrift, Kanzleischrift, Normalschrift, Schreibschrift und Grasschrift (Konzeptschrift, kursorische Schnellschrift)

sinnverwandte Schriftzeichen) und phonetische Zeichen (homophone Schriftzeichen für Begriffe mit anderer Bedeutung).

Piktogramme (piktographische Sinnwiedergabe) sind jene Schriftzeichen, die nach der Gestalt der Dinge gebildet wurden, wie „日" (Sonne), „口" (Mund), „山" (Berg) und „羊" (Schaf).

Ideogramme (nach Bildsymbolen geformte Zeichen) geben in Form einer Bilderschrift plus hinweisendem Zeichen die Bedeutung eines Schriftzeichens an, z. B. „上" (oben), „下" (unten). Hier dient die waagerechte Linie als Norm. Eine vertikale Linie oberhalb bedeutet oben, eine vertikale Linie unterhalb bedeutet unten. Zieht man unter dem Bilderschriftzeichen „木" (mu, Baum) eine kurze waagerechte Linie, ist es das Schriftzeichen „本" (Wurzel oder Grundlage).

Zusammengesetzte Ideogramme (assoziierende Zusammensetzung) bestehen aus zwei oder mehreren Schriftzeichen und zeigen dann eine neue Bedeutung an. Z. B. „休" (xiu, Pause, ruhen) besteht aus „人" (ren, Person) und „木" (Baum). Werden beide Schriftzeichen zusammengesetz, bedeutet dies, dass sich eine Person an einen Baum lehnt, also ruht. Das Schriftzeichen „信" (xin, Vertrauen) besteht aus „人" (ren, Person) und „言" (yan, Wort, sprechen). Es bedeutet, dass jemand sein Wort hält.

Piktophonetische Zeichen (Kombinationen von sinn- und lauttragenden Zeichenelementen) bestehten aus einem semantischen Teil (Radikal) und einem phonetischen Teil (Phonetikum). Darunter sind solche Zeichen, die links das Radikal und rechts das Phonetikum aufweisen, am häufigsten, z. B. bei „枝" (zhi, Zweig) und „村" (cun, Dorf). Hier bedeutet das Radikal „木" (mu, Baum) an, dass es sich auf Bäume bezieht, und das phonetische Radikal

„支" (zhi, Abzweigung) und „寸" (*Cun*, ein chinesisches Längenmaß) bestimmen die Aussprache der zwei Schriftzeichen. 80 Prozent der chinesischen Schriftzeichen sind piktophonetische Zeichen.

Die Kalligraphie

Die chinesische Kalligraphie ist eine Kunst, die sich aus dem Schreiben der Han-Schrift entwickelte. Die frühe Han-Schrift war eine Bilderschrift, und beim Schreiben benutzte man Pinsel. Der Pinsel besteht aus einem längeren Bambus- oder Holzstiel mit einem am oberen Ende eingesetzten Büschel aus Borsten oder Haaren, die weich und elastisch sind. Wer die Kunstfertigkeit des Schreibens mit Pinsel beherrschte und fleißig übte, konnte als Kalligraph hohes Ansehen gewinnen. Das ist auch heute noch so.

Vom Beginn des 3. Jahrhunderts an erlebte die Kalligraphie eine rasche Entwicklung. Die Siegel-, Kanzlei-, Konzept-, Normal- und Schreibschrift waren vervollständigt. Von den bekannten Kalligraphen war Wang Xizhi (321—379 oder 307—365) am berühmtesten. Er übernahm das Wesentliche der Kalligraphie der Han- und der Wei-Dynastie und schuf seinen eigenen Stil, der ihm den Ruhm des „Weisen unter den Kalligraphen" einbrachte.

Die Tang-Dynastie gilt als die Blütezeit der chinesischen Kalligraphie. In den Lehranstalten war damals die Kalligraphie Pflichtfach. Die Schreibkunst der Normalschrift erreichte einen Höhepunkt, der von späteren Generationen nicht mehr überboten werden konnte. Die Schreibstile der berühmten Kalligraphen Yan Zhenqing (709—785) und Liu Gongquan (778—865) sind bis heute vorbildlich. Schriftmuster von diesen zwei Kalligraphen werden noch immer gedruckt.

Steinschnitzerei auf dem Berg Taishan in der Provinz Shandong. In mehr als 2000 Jahren hinterließen viele berühmte Persönlichkeiten auf dem Berg ihre Handschriften.

Die chinesische Kalligraphie und Malerei ist eine Kunst der Linien. Daher sagt man, dass sie den „gleichen Ursprung" haben. Die Kalligaphietechnik wird auch beim Malen verwendet. Manche sagen sogar, dass die chinesische Kalligraphie und Malerei den Kraftlinien der rhythmischen Tanzbewegungen ähnelt. Und angeblich soll die Kampfkunst mit Schwertern den berühmten Kalligraphen der Tang-Dynastie Zhang Xu zu seiner kursorischen Schnellschrift inspiriert haben.

In alter Zeit waren die meisten Kalligraphen Gelehrte oder Beamte. Sie waren in Poesie, Malerei, Musik, Tanz, Geschichte und Philosophie bewandert. Wie eine Malerei, so drückt auch ein kalligraphisches Werk Individualität, Gefühl und die charakteristische Eigenart seines Schöpfers aus. Daher sagt man häufig, dass eine Kalligaraphie die „Malerei im Herzen ihres Schöpfers" sei.

Die chinesische Schrift

Die Kalligraphie „Lanting Xu" von Wang Xizhi gilt als ein Schatz der kalligraphischen Werke.

In China übt man gleich beim Lernen von Lesen und Schreiben die Kalligraphie, doch nur wenige Menschen bringen es zur Meisterschaft. Allerdings betreiben viele Chinesen die Kalligraphie als Hobby. Und manche sammeln berühmte kalligraphische Werke wie andere Leute Gemälde.

Die große Familie der Schriftzeichen Chinas

In China gibt es neben der Han-Schrift noch mehrere Schriften der nationalen Minderheiten, die wie die Han-Schrift einen langen Entwicklungsverlauf hatten. In den Schriften der nationalen Minderheiten gibt es sowohl Bilderschriften als auch Silben- und Buchstabenschriften. Die Dongba-Schrift, die die Naxi-Nationalität bis heute gebraucht, ist eine Bilderschrift, während die Cuan-Schrift der Vorfahren der Yi-Nationalität zu den Silbenschriften gehört. Sie entwickelte sich zur heutigen Yi-Schrift. Die meisten nationalen Minderheiten benutzen die Pinyin-Umschrift. Einige Schriften der nationalen Minderheiten werden heute nicht mehr benutzt, andere wie das Tibetische, das Mogolische und die Schrift der Dai-Nationalität sind viel im Gebrauch.

Im Laufe der Geschichte wurde die Han-Schrift auch in Japan,

Korea und Vietnam eingeführt. Heute gibt es im Koreanischen und im Vietnamesischen keine Han-Schriftzeichen mehr. Hingegen sind in Japan noch rund 2000 Han-Schriftzeichen allgemein gebräuchlich.

Papierherstellung und Druckkunst

Wie oben erwähnt, sind die frühesten Schriften Chinas die Orakelknochen- und Bronze-Inschriften sowie Inschriften auf trommelförmigen Steinen. In der Frühlings- und Herbstperiode schrieb man auf Bambustäfelchen und auf Seidenstoff. Das alles war natürlich sehr unpraktisch. Als einmal ein Minister dem Kaiser Wudi der Westlichen Han-Dynastie einen Bericht überreichte, mußten zwei Diener rund 3000 Bambustäfelchen zur Audienz schleppen. Und Seidenstoff war sehr teuer. Es war also dringend nötig, ein wohlfeiles Schreibmaterial zu erfinden.

Aufzeichnungen in historischen Büchern und Fundstücke beweisen, dass die Ursprünge der Papierherstellung in China in der Westlichen Han-Dynastie liegen. Wegen seiner schlechten

Die Dongba-Schrift ist eine Bilderschrift, die von den Lehrern (Dongba) der Naxi-Nationalität, die die klassischen Werke der konfuzianischen Schule lehrten, gebraucht wurde.

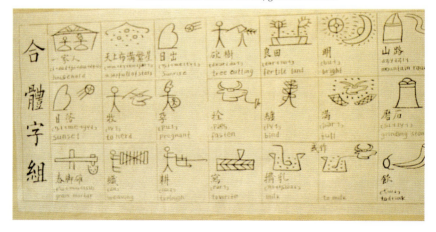

Qualität diente das früheste Papier nur als Packpapier. Im Jahre 105 trug Cai Lun, ein Hofbeamter der Östlichen Han-Dynastie, bedeutend zur Verbesserung der Papierherstellung bei. Durch mehrmalige Tests gelang es ihm, aus Baumrinden, Hanffaserabfällen, Lumpen und alten Fangnetzen ein dünnes und besseres Papier herzustellen. Danach wurde dieses Verfahren zur Papierherstellung allmählich verbreitet. Bis zum 4. Jahrhundert ersetzte Papier als einziges Schreibmaterial Seide sowie Bambus- und Holztäfelchen und förderte somit die Verbreitung und Entwicklung der Wissenschaft und Kultur in China.

Nach dem 4. Jahrhundert kam mit dem Papier auch die Herstellungstechnik in andere Länder, zuerst nach Korea, dann nach Vietnam, Japan und Indien. Im 8. Jahrhundert erlernten die Araber von China die Papierherstellung. Soldaten aus Handwerkerkreisen der Tang-Dynastie kamen ins Arabische Großreich und errichteten dort die erste Papiermanufaktur außerhalb Chinas. Bis dahin hatte

Papier-Buchrollen aus der Tang-Zeit

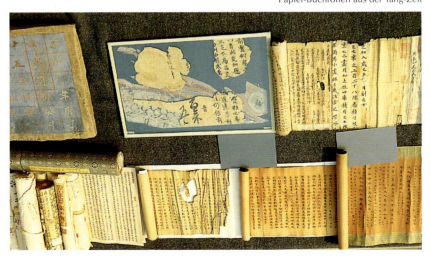

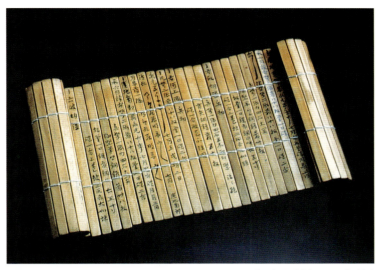

Bambustäfelchen aus der Zeit um das 8. Jahrhundert v. Chr.

man in Arabien auf Schaffellen geschrieben. Im 11. Jahrhundert brachten die Araber die chinesische Papierherstellungstechnik in europäische Länder.

Lange Zeit war die Verbreitung von Literatur nur durch Abschreiben möglich. Doch das Abschreiben nahm ungeheuer viel Zeit und Mühe in Anspruch, außerdem konnten dabei grobe Fehler und Irrtümer unterlaufen. Wegen des großen Aufwandes von Zeit und Arbeit gab es nur wenige Kopien, und so sind viele Werke aus alter Zeit verlorengegangen. Allmählich entstanden in China dann neue Methoden der Vervielfältigung von Bildern und Schriftzeichen. Von diesen Methoden ähneln der Stempel und die Gravur der Druckkunst am meisten.

Mit in Stempel geschnitzten Reliefs konnte man eine gut lesbare schwarze Schrift auf weißes Papier drucken. Ein Stempel konnte aber wegen seines kleinen Formats nur wenige Zeichen aufnehmen.

Von einer Platte mit eingravierten Schriftzeichen und Bildern

Bambus abschlagen und wässern: Prozess der Papierherstellung (Ming-Zeit)

konnte man einen Abdruck mit weißen Bildern und Schriftzeichen erhalten. Steinabreibungen erschienen zuerst im 4. Jahrhundert. Sie stellen zwar eine primitive Druckmethode dar, legten jedoch eine Grundlage für die weitere Entwicklung der Druckkunst.

Im 8. Jahrhundert (manche sagen im 7. Jahrhundert) wurde in China der Holzblockdruck erfunden. Aus Holz wurden Platten hergestellt, und die zu druckenden Schriftzeichen wurden auf dünnes Papier geschrieben, das man umgekehrt auf die Platten klebte. Geschnitzt wurde dann so, dass die Schriftzeichen auf der Platte erhaben blieben. So konnten die Platten für den Buchdruck verwendet werden.

Nicht lang nach seiner Erfindung fand der Holzblockdruck schon Verwendung, um heilige Schriften und klassische Werke der konfuzianischen Schule des Kaiserhofs in großer Menge zu vervielfältigen. Der „Jingangjing" (Diamant-Kanon) gilt als die älteste erhaltene Schrift des Holzblockdrucks. Das Buch entstand im Jahre 868 und ist nun im Britischen Museum in London aufbewahrt.

In der Geschichte des Buchdrucks war der Holzblockdruck eine bedeutende Erfindung. Natürlich hatte diese Methode noch ihre Schwächen. Die Herstellung und das Schnitzen der Druckplatten nahmen so viel Material und Zeit in Anspruch, dass es unmöglich war, in kurzer Zeit ein Buch zu drucken. Bei manchen umfangreichen Büchern dauerte die Arbeit jahrelang.

In der Mitte des 11. Jahrhunderts entwickelte ein Erfinder namens Bi Sheng endlich ein Verfahren, das die Technik des Buchdrucks in China weiterentwickelte. Er schnitt einzelne Schriftzeichen in Würfel aus Lehm, die dann gebrannt wurden. So entstanden die ersten beweglichen Lettern. Die Typen wurden dann nach einem bestimmten System sortiert und mit Etiketten versehen und standen so in Regalen zu Gebrauch bereit. Beim Schriftsatz fügte man die Typen auf einer mit Randleisten versehenen Eisenplatte zusammen, die vorher mit Harz bestrichen worden war. Die Platte wurde nun erwärmt, so dass das Harz schmolz, worauf man die Druckplatte

Bewegliche Lettern aus Ton

glattpreßte. Nach dem Druck wurde die Platte erneut erhitzt, damit das Harz wieder schmolz und die Lettern heruntergenommen werden konnten.

Die Drucktechnik mit beweglichen Lettern ermöglichte einen raschen und viel besseren Druck. Später benutzte man in China Holz, Zinn, Kupfer und Blei als Material zur Herstellung von beweglichen Lettern.

Im 13. Jahrhundert kam die Drucktechnik mit beweglichen Lettern nach Korea, Japan und Vietnam sowie in Länder Zentralasiens.

Seide, Spirituosen, Tee und Porzellan

Seide

China war das erste Land der Welt, in dem man Maulbeerbäume zur Seidenraupenzucht pflanzte und Seidenstoffe herstellte. Zahlreiche Fundstücke wie Seidenkokons, Seidenspinnräder und Seidenstoffe beweisen, dass man bereits vor 6000 bis 7000 Jahren mit der Seidenraupenzucht begonnen hatte. In einer Bronzeinschrift aus der Westlichen Zhou-Dynastie heißt es, dass man auf dem Markt ein Pferd und ein Ballen Seide gegen fünf Sklaven tauschen konnte.

In alter Zeit war in China die Seidenraupenzucht Sache der Frauen, während die Männer den Ackerbau betrieben. Malereien

„Fütterung der Seidenraupen", ein Bild aus der Song-Dynastie (Teil)

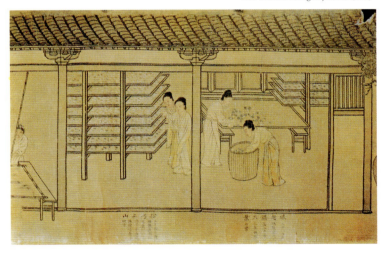

aus verschiedenen Dynastien, insbesondere viele volkstümliche Neujahrsbilder, zeigen die Bodenbestellung durch die Männer und das Sammeln von Maulbeerblättern und Weben durch die Frauen. In einem Grab des Staates Chu der Streitenden Reiche vor mehr als 2000 Jahren wurden über 20 Stück Seidengewebe freigelegt. Bis heute haben sie ihre Farbe nicht verloren, die verschiedenartigen Muster darauf sind deutlich zu erkennen. Während der Nördlichen Song-Dynastie war die Seidenindustrie in Zhejiang und anderen Gebieten Ostchinas sowie in Sichuan in Westchina bereits weit entwickelt. Diese Gebiete waren damals die wichtigsten Seidenproduzenten des Landes. Vor allem die Seide aus Sichuan war von bester Qualität. Zu dieser Zeit gab es in Dongjing (heute Kaifeng, Henan), Hauptstadt der Nördlichen Song-Dynastie, eine Seidenfabrik, deren Spinner und Spinnerinnen alle aus der heutigen Provinz Sichuan kamen. Hier stellte man nur für den Kaiserhof und hohe Beamte Seide her.

Brokat, freigelegt aus einem Grab der Tang-Dynastie in Turpan, Xinjiang

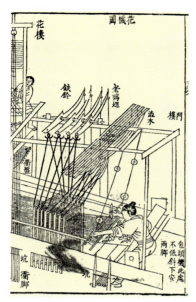

Webstuhl und Seidenfaden-Verarbeitung, Darstellungen aus der Ming-Dynastie

Bereits zu Beginn der Han-Dynastie waren Seide und Seidengewebe wichtige Exportartikel Chinas. Damals gab es eine Handelsstraße, die von Chang'an, der Hauptstadt der Westlichen Han, durch den Hexi-Korridor in der Provinz Gansu und die Oasen südlich und nördlich des Tarim-Beckens über die Pamir-Hochebene und Zentral- und Westasien bis zu den Häfen an der östlichen Küste des Mittelmeers führte. Die berühmteste Ware, die auf dieser Handelsroute nach Europa kam, war chinesische Seide, und so erhielt diese Route den Namen „Seidenstraße".

Das Wort „Seidenstraße" wurde zuerst von dem deutschen Geographen Ferdinand von Richthofen im 19. Jahrhundert verwendet. Später nannten Historiker alle Handelsstraßen, die China mit den Westen verbanden, Seidenstraßen. So ist die „Seidenstraße" zu einem Synonym für den Kulturaustausch und Handel zwischen dem Osten und dem Westen geworden. In einem Zeitraum von über 2000 Jahren wurden viele chinesische Produkte, neben Seide vor allem Porzellanwaren und Tee, aber auch das Papierherstellungsverfahren und die Druckkunst über Handelswege zu Land und zu Wasser ins Ausland gebracht. Umgekehrt wurden ausländische Technologien, Musik, Tanzkunst und religiöse Ideen nach China eingeführt.

Im alten Rom war die chinesische Seide sehr begehrt. Die Römer nannten China „Serice" (Seidenland). Gaius Julius Caesar (100—44 v. Chr.) soll als erster bei einem Theaterbesuch eine Seidenrobe getragen und großes Aufsehen erregt haben. Danach wurde es Mode, chinesische Seide zu tragen.

Abgesehen von ihren Erfahrungen mit der Seidenraupenzucht und dem Seidenweben beherrschten die Chinesen auch sehr früh die Verarbeitung von Baumwolle, Hanf, Flachs und Jute. Ursprünglich waren die Hauptanbaugebiete von Baumwolle die heutige Provinz Fujian, die Insel Hainan und Nordwestchina. Im 12. und 13. Jahrhundert verbreitete sich die Baumwolle nach und nach in Zentral- und Südchina. In späteren Jahrhunderten ersetzten die Baumwollwaren allmählich die Seiden- und Hanfgewebe. Während der Ming-Zeit legte die Regierung fest, dass von der Steuer befreit wurde, wer mehr Baumwolle anbaute. Von da an wurde der Baumwollstoff der wichtigste Stoff für die Kleidung der Chinesen.

Kleidung

Früher war die Kleidung der verschiedenen Nationalitäten Chinas sehr unterschiedlich. Die Schnittformen variierten auch je nach Zeitalter und Gebiet. Im großen und ganzen trugen die Bewohner Zentralchinas rechts seitlich geschlitzte Gewänder und die

Bemalte Tonfigur eines Hunnen aus der Tang-Zeit. Als Hunnen bezeichnete man einst alle Angehörigen der Nomadenvölker im Norden und Westen.

Bewohner des Nordens Kleidung, die links seitlich geknüpft war. Die Angehörigen der verschiedenen Nomandenvölker trugen Jacken mit engen Ärmeln, lange Hosen und Reitstiefel. In alter Zeit wurden die Nomandenstämme in Nord- und Westchina von den Chinesen Zentralchinas als Xiongnu (Hunnen) bezeichnet und ihre Kleidung als „Hunnen-Kleidung". Im großen Strom der Geschichte haben die Trachten verschiedener Nationalitäten aufeinander Einfluß genommen. So hat die Tang-Dynastie viele Elemente der Trachten verschiedener Nationalitäten der Westlichen Regionen übernommen. In der Zeit der Streitenden Reiche verordnete der König des Staates Zhao seinen Kriegern die „Hunnen-Kleidung", mit der man besser reiten und kämpfen konnte.

Nach ihren Schnittformen kann die Kleidung in Chinas alter Zeit in zwei Kategorien eingeteilt werden. Die eine bestand aus „Yi" (Oberbekleidung) und „Chang" („Frauenrock"). Ursprünglich bestand der „Chang" aus zwei Bahnen Tuch, die man um den

Dreifarbige glasierte Frauenfiguren
aus der Tang-Dynastie

Unterkörper wickelte. Doch zur Han-Zeit wurden diese beiden Teile miteinander verbunden. Die andere Kategorie von Kleidung hieß „Shenyi" („langes Kleid"), wobei die Oberkleidung und der Rock miteinander verbunden waren. Es war der Vorläufer des langen chinesischen Obergewands. Später wurden die Oberkleidung und der Rock zusammen als „Duanda" bezeichnet. Die meisten Arbeitenden trugen diese Bekleidung, um bequem arbeiten zu können. Beamte, Adlige und Intellektuelle trugen das lange Kleid. Die grundlegenden Schnittformen blieben sehr lange dieselben, wohl aber änderten sich im Laufe der Zeit die Längen und Weiten dieser Bekleidungen.

Chinas Feudalgesellschaft war streng gegliedert. Die Qualiät und Farbe des Stoffs sowie die Machart und Gürtelanhänger eines Kleides waren je nach sozialem Status verschieden. Der Kleiderstoff hoher Beamter und vornehmer Persönlichkeiten war Seide oder Satin, während einfache Leute grobes Tuch und Leinen trugen. Während der Han-Zeit war Rot die Farbe der Vornehmen, in der Tang-Zeit wurde Purpur von der Oberschicht bevorzugt. Danach war bis zur Qing-Dynastie Gelb das Symbol für hohen Stand. Die Farbe der Bekleidung der einfachen Leute war blau, weiß und schwarz. Das Drachenmuster war allein dem Kaiser vorbehalten. Die Roben ziviler Beamten der Qing-Dynastie waren mit seltenen, glückbringenden Vögeln und der die der Militärbeamten mit männlichen Tieren verziert.

Während der ganzen feudalen Zeit veränderte sich die Machart der Bekleidung, doch die Rangvorstellung bei der Bekleidung veränderte sich nicht. In den verschiedenen Dynastien arbeitete man strenge Kleidervorschriften aus, die die sozialen Unterschiede betonten. Wer gegen diese Bestimmungen verstieß, wurde bestraft. Beispielsweise sah das „Gesetzbuch der Ming-Dynastie" vor, dass einfache Leute, wenn sie gegen diese Bestimmungen vorstießen, Peitschenhiebe erhielten. Beamte und Eunuchen wurden mit einem gespleißten Bambusrohr geschlagen.

Die Tang-Dynastie war eine Blütezeit des kulturellen Austauschs. Dank verschiedener ausländischer Einflüsse erfuhr auch die Mode, insbesondere die Frauenmode, damals eine große Veränderung. Die Frauen sprengten alte Sitten und Gebräuche und trugen z. B. Kleider, die Busen und Schultern unbedeckt ließen. Manche Frauen zogen sogar Herrenkleidung an.

In alter Zeit trugen Männer und Frauen der Han-Nationalität im allgemeinen langes Haar. Nach der Gründung der Qing-Dynastie zwang die Regierung die Männer dazu, sich den vorderen Teil des Kopfs kahl scheren zu lassen und am Hinterkopf einen langen Zopf

Hofbekleidung während der Qing-Dynastie. Die Kaiserinwitwe Cixi (*M.*, 1835—1908) regierte „hinter dem Vorhang" 48 Jahre lang.

zu tragen. Sie hatten einen langen Rock und eine Mandarinjacke an. Das chinesische Etuikleid *Qipao*, das die Frauen in jener Zeit trugen, war auch später noch in China weit verbreitet. Nach dem Untergang der Qing-Dynastie kam der Sun Yatsen-Anzug in Mode. Heute jedoch trägt man vorwiegend Kleidung im westlichen Schnitt.

Nahrungsmittel und Küche

Die chinesische Küche erfordert ein hohes Maß an Können. Manche Leute sagen sogar, wer die chinesische Küche nicht verstehe, verstehe die chinesische Kultur nicht.

In unterschiedlichen Gebieten ist auch die Hauptnahrung der Chinesen unterschiedlich. Bereits in der Han-Zeit wurden in Gebieten nördlich des Qinling-Gebirges und des Flusses Huaihe hauptsächlich dürreresistente Getreidesorten wie Weizen und Hirse angebaut, und so ißt die Bevölkerung Nordchinas seit damals gern Mehlspeisen. In Südchina wird hauptsächlich Reis gepflanzt. Der Reis ist die Hauptnahrung der Einwohner Südchinas. Auf dem

Qinghai-Tibet-Plateau Nordwestchinas und auf der Hochebene der Inneren Mongolei betreibt man Viehzucht, die Hauptnahrung hier ist Hammel- und Rindfleisch sowie Käse. Die Chinesen unterscheiden zwischen Haupt- und Nebennahrungsmittel. Zu ersteren gehören Reis, Weizenmehl u. a., zu den Nebennahrungsmitteln Gemüse und Fleisch. Durch Dämpfen, Fritieren, Kochen, Rösten und Backen werden aus Reis und Weizenmehl rund hundert lokale Spezialitäten zubereitet, insbesondere *Mantou* (Dampfbrötchen), *Jiaozi* (mit Hackfleisch und Gemüse gefüllte halmondförmige Teigtaschen), Nudeln und Pfannkuchen. Auch Sorghum, Mais und Hirse nehmen in der chinesischen Küche eine wichtige Stellung ein. Mehr als 1000 schmackhafte Gerichte und etwa 100 Suppen gibt es in China.

Die chinesische Küche erfordert eine hohe Kunst bezüglich der Technik des Schneidens, der Dauer und des Hitzegrads beim Kochen, der Mischung von Zutaten usw. Ein Gericht muß die folgenden grundlegenden Bedingungen erfüllen: schöne Farbe, guter Duft, guter Geschmack und schöne Form.

China ist ein weites Land mit einer großen Bevölkerung. Aufgrund der Unterschiede der Landschaften, des Klimas und der Lebensgewohnheit sind viele Küchen entstanden. Darunter sind die bekanntesten die

Teigwaren aus der Tang-Zeit, gefunden in Turpan, Xinjiang

Sichuan-, die Guangdong-, die Shandong und die Huaiyang-Küche. Die Sichuan-Küche ist bekannt für ihre scharfen Gerichte. Das hat folgenden Grund: In Sichuan ist die Luft ziemlich feucht, und scharfe Gerichte beschleunigen das Schwitzen, was wiederum eine Senkung der Temperatur bewirkt. Hundert Speisen schmecken hundertfach verschieden, heißt es in Sichuan. Die Köche in Sichuan sind Meister in der Zubereitung süßscharfer, aromatisch-scharfer, bitter-scharfer, pikantscharfer und sauerscharfer Gerichte.

Die Guangdong-Küche ist der Sammelbegriff für die Guangzhouer, Chaozhouer, Dongjianger und Hainaner Küche. Das kuliarische Zentrum ist Guangzhou. Die Guangdong-Küche genießt großen Ruhm in China wegen ihrer Vielfalt und Einzigartigkeit. In ihr wird beinahe jedes Tier in irgendeiner Weise verwertet. Schlangen und Insekten zählen zu den Spezialitäten. Die Gerichte der Guangdong-Küche sind frisch, zart und knusprig. Der natürliche Duft und Geschmack werden durch die richtige Stärke des Feuers bewahrt. Früh war Guangzhou ein wichtiger Handelshafen mit dem Ausland. Daher hat die Guangzhou-Küche die alte und heutige Kochkunst Chinas und des Auslands in sich aufgenommen.

Die Huaiyang-Küche besitzt hauptsächlich die Besonderheiten des typischen Geschmacks von Yangzhou, daneben von Huai'an und Nord-Jiangsu. In alter Zeit war Yangzhou eine belebte Metropole. Wegen der Anlage des Großen Kanals war sie eine wichtige Handelsstadt in Südchina. Reiche Kaufleute, Beamte, Adlige und Gelehrte von überall her sammelten sich hier in großer Anzahl. Daher erlebte auch die Gastronomie einen großen Aufschwung. Die Huaiyang-Küche zeichnet sich durch frische und zarte Grundstoffe, sorgfältige Zubereitung, frischen und leichten Geschmack und schöne Farben und Formen aus. Frische

Küchen-Szene aus der Sui-Zeit

Süßwasserkrabben und andere Süßwassertiere sowie verschiedenartige Gemüse gehören zu den Spezialitäten.

Die Gerichte der Shandong-Küche sind salziger als die anderen Küchen und sehr eiweißhaltig. Mehr als in anderen Küchen werden in der Shandong-Küche Brühe und Lauch verwendet. Die Shandong-Küche zeichnet sich ferner durch ihre einzigartige Zubereitung frischer Meeresprodukte aus. Durch sorgfältige Auswahl der Grundstoffe und eine hervorragende Zubereitungstechnik wird die Köstlichkeit der Gerichte garantiert. Die Peking-Ente hat ihren Ursprung in der Shandong-Küche. In alter Zeit nahm die Shandong-Küche auch am Kaiserhof eine bervorzugte Stelle ein.

Von den Hirten Nordchinas wurden das Grillen von Fleisch und der mongolische Feuertopf (das Garen von dünngeschnittenen Hammelfleischscheiben und Gemüse in einem Tischkochtopf) in den Städten Nordchinas übernommen.

Die Chinesen legen großen Wert auf die Abstimmung zwischen Gericht und Farbe des Tafelservices. Beispielsweise soll man blaue, grüne oder blaugrüne Eßutensilien für kalte Gerichte und für Gerichte im Sommer verwenden, hingegen rote, gelbe oder rötlichgelbe Eßutensilien für warme Gerichte und Gerichte im Winter. Hinsichtlich der Form, Tiefe und Größe der verschiedenen Eßutensilien gibt es ebenfalls bestimmte Regeln. Beim Esssen gilt diese Reihenfolge: Zuerst kommen die kalten Gerichte, dann die warmen Gerichte, dann der Reis und schließlich die Suppe. Bei der Guangdong- und der Sichuan-Küche ißt man zuerst eine Schale Suppe.

Beim Essen benutzen die Chinesen Eßstäbchen, was ein Teil der chinesischen Sitten und Gebräuche ist. Für die Sitzordnung bei Tisch gilt diese Reihenfolge: Zuerst der Gast, dann Ältere und Höherstehende und zuletzt die junge Generation. Natürlich gab es in alter Zeit noch Unterschiede zwischen den Rängen. Beim Festessen des Silversterabends und des Mondfestes (der 15. Tag des 8. Monats nach dem chinesischen Mondkalender) beachten noch heute die meisten Chinesen diese Sitten und Gebräuche.

Alkoholische Getränke

China gehört zu den Ländern mit der längsten Tradition der Herstellung alkoholischer Getränke. Die gefundenen Ruinen von Stätten für die Herstellung alkoholischer Getränke und zahlreiche Trinkgeschirre aus alter Zeit bestätigen, dass alkoholische Getränke in China eine Geschichte von etwa 5000 Jahren haben. 1977 wurden im Kreis Pingshan, Provinz Hebei, zwei Behälter mit Spirituosen aus der Zeit der Streitenden Reiche freigelegt. Die Analyse ergab, dass die Qualität der damaligen Spirituosen sehr gut war.

Im Jahre 98 v. Chr. monopolisierte die Regierung der Han-Dynastie die Herstellung und den Vertrieb alkoholischer Getränke. Später ließ sie auch private Betriebe zu, erhob jedoch Steuern. Der Produktionsumfang war ziemlich groß. Wie die Steuer aus Salzgewinnung und Eisenverhüttung waren die Steuern aus diesem Wirtschaftszweig für die späteren Dynastien die wichtigsten Staatseinnahmen. Doch in Kriegs- und Notzeiten erließ die Regierung ein Verbot, alkoholische Getränke herzustellen, um Nahrungsmittel zu sparen.

Vor der Tang-Dynastie gab es zwei Sorten von Spirituosen, eine trübe aus Trester hieß „Laojiu" (trübe Spirituose), eine andere ohne Trester „Yazhajiu" (ausgepreßte Spirituose). Wein aus Reis oder Hirse ist einer der ältesten Weine Chinas. Wegen seiner gelben Farbe nennt man ihn „Gelber Wein". Dieser Wein mit niedrigem Alkoholgehalt wird auch als Medizin und in der Küche verwendet.

Schnaps wird in allen Landesteilen aus Getreide und anderen stärke- und zuckerhaltigen Feld- oder Wildfrüchten

Jue, Bronzeweinbecher der Shang-Dynastie

durch Destillation hergestellt, meistens manuell oder im halbmechanischen Verfahren. Für Qualitätsschnaps verwendet man Sorghum. Der Maotai gilt als der beste Schnaps Chinas. Er wird nach einem traditionellen Verfahren, das man vor etwa 460 Jahren in der Ortschaft Maotai in der Provinz Guizhou entwickelt hat, hergestellt. Dieser Schnaps ist für seine leicht gelbliche Farbe, das frische Aroma und den unverwechselbaren Geschmack bekannt. Er wird in China als „Staatsschnaps" bezeichnet. Auf einer internationalen Messe in Panama im Jahre 1915 erhielt der Maotai eine Goldmedaille. Neben dem Maotai gibt es in China noch andere Qualitätsschnäpse wie den Fenjiu und den Wuliangye.

In alter Zeit war in ländlichen Gebieten die Herstellung von Reiswein weitverbreitet. Besonders vor dem Frühlingsfest stellte fast jeder Haushalt verschiedene Weine her, um Verwandte und Freunde damit zu bewirten. In manchen Gegenden wurden, wenn in einer Familie ein Mädchen geboren wurde, mehrere Tonfässer mit Wein gefüllt. Damit bewirtete man Gäste, bis die Tochter heiratete. Dieser Wein hieß „Tochterwein". Die Mongolen in der Inneren Mongolei trinken Milchwein, die Tibeter einen Wein aus Hochlandgerste.

Seit Urzeiten ist der Genoß alkoholischer Getränke ein Teil des Gesellschaftslebens. Zu einem Festtag, einer Hochzeits- und einer Geburtsfeier sowie zu Trauerangelegenheiten, inbesondere während des Frühlingsfestes, versammeln sich Verwandte und Freunde in fröhlicher Runde und trinken zusammen, was eine lebhafte Atmosphäre schafft. Nicht wenige Dichter, Maler und Gelehrte Chinas waren fröhliche Zecher. Der Dichter Li Bai (701—762) aus der Tang-Dynastie schrieb viele noch heute oft zitierte Gedichte über das Trinken.

„Han Xizai gibt ein Abend-Bankett" (Ausschnitt, 10. Jahrhundert). Han Xizai war ein hoher kaiserlicher Beamter, der, nachdem er die Gunst des Kaisers verloren hatte, in Saus und Braus lebte.

Bei einem Zusammentreffen kann der Schnaps für lebhafte Stimmung sorgen. Ferner gibt es beim Trinken viele Gepflogenheiten. Wie der Volksmund sagt, wer den Willkommensbecher nicht trinken will, muß einen Becher zur Strafe trinken. Wer bestimmte Regeln verletzt, ist der Verlierer, auch er muß zur Strafe einen Becher trinken. Natürlich soll so etwas nicht ausarten, denn Trunkenbolde werden in Chuina verabscheut.

Tee

China zählt zu den Ländern, die Tee am frühesten anpflanzten. Schon lange vor unserer Zeitrechnung wurde Tee in China als Arznei-, später als Genußmittel verwendet. In seinem Werk *Cha Jing* („Tee-Buch"), das Lu Yu (733—804) in der Mitte des 8. Jahrhunderts verfaßt hatte, legte er umfassend Ursprung, Anbau, Pflücken und Verarbeitung, Kochen und Kosten von Tee sowie die Beschaffenheit des Teegeschirrs dar. Es ist Chinas erste

Das Bild „Teeparty am Huishan-Berg" illustriet eine Gepflogenheit Gelehrter in der Ming-Zeit

Monographie über den Tee. Lu Yu wurde von späteren Generationen als „Teegott" bezeichnet.

Schon zu Beginn der Han-Dynastie war Tee ein wichtiges Getränk der reichen Familien und eine Grabbeigabe. Während der Südlichen und Nördlichen Dynastien wurde das Teetrinken Teil des allgemeinen Gesellschaftslebens. Anfang des 9. Jahrhunderts wurde die Tee-Anbautechnik zuerst in Japan und dann in andere Länder eingeführt.

Früher sagte man: „Sieben Sachen braucht der Mensch, nämlich Brennholz, Reis, Speiseöl, Salz, gesalzene Sojabohnen und Weizenmehltunke, Essig und Tee". Hieraus kann man ersehen, dass Teetrinken schon längst zu einem wichtigen Teil des Gesellschaftslebens der einfachen Leute geworden war. Tee-Produktion und -Handel waren eine Quelle der Staatseinnahmen. In der Tang-Dynastie begann die Regierung, den Tee zu besteuern.

Damals gab es im Land auch viele staatliche Teeplantagen, und es wurde die Politik des Monopolverkaufs von Tee durchgeführt.

Tee wurde hauptsächlich in den Eingzugsgebieten des Mittel- und Unterlaufs des Yangtse und in Südwestchina angebaut. In Nordchina gab es früher sehr wenig Tee. Während der Song-Dynastie tauschte die Regierung eine große Menge Tee gegen hunderttausend Pferde der Nomadenstämme Nordchinas, um der Invasionen dieser Stämme Widerstand zu leisten.

Tee ist ein leicht anregendes, durstlöschendes, verdauungsförderndes und harntreibendes Genußmittel. Wegen seines Gerbsäuregehalts wird Tee auch bei Darmkatarrhen als diätetisches Heilmittel verwendet. In China ist es eine alte Gewohnheit, dass man bei Zusammentreffen Tee trinkt. Mit der Zeit ist eine Reihe von zeremoniellen Gepflogenheiten von Teeaufgießen bis Teeanbieten entstanden. Man spricht von der

„Teezeremonie", die man auch in Japan übernommen hat.

Überall in China gibt es Teehäuser, und zwar vier Arten: Teehäuser im Beijing-, Suzhou-, Guangzhou- und Sichuanstil.

In einem Teehaus des Beijinger Stils kann man beim Teetrinken Kulturprogramme wie Balladensingen, Geschichtenerzählungen, komische Dialoge, Reimerzählungen zur Begleitung von Bambusklappern und Szenen der Peking-Oper verfolgen. Diese Tradition reicht zurück bis in die Song-Dynastie.

In Suzhou gab es einst viele private Gärten und luxuriöse Wohnhöfe. Darin wurden in alter Zeit Teehäuser eingerichtet. Hier konnte man sich während des Teetrinkens an der Umgebung erfreuen. Solche Teehäuser im Suzhoustil gibt es auch heute noch.

Während der Tang- und der Song-Dynastie war der Handel gut

In einem Teehaus

Teekochen und Geschirrwaschen, Nördliche Song-Dynastie (Abreibung)

entwickelt, und so gab es viele speziellle Teehäuser in Guangdong, in denen sich Geschäftsleute trafen. In solchen Teehäusern des Guangdongstils werden auch Gerichte serviert.

In einem Teehaus im Sichuanstil kann man beim Teetrinken Schach, Mahjongg und Karten spielen.

In alter Zeit waren Teehäuser beliebte Treffpunkte von Gelehrten und Künstlern. Maler und Kalligraphen zeigten hier ihre Kunst, und Dichter gaben Kostproben ihrer Verse zu Gehör. Im allgemeinen waren Teehäuser, die die Gelerhten und Künstler besuchten, die besten Teehäuser. Hier boten Gastgeber ihren Gästen Qualitätstee an.

Porzellan

Porzellan und Keramik haben in China eine lange Tradition. In jeder Dynastie wurde etwas Neues geschaffen, so dass sich viele wertvolle Werke und reiche Erfahrungen ansammelten, die eine Kultur- und Kunst-Schatzkammer für China und für die Welt darstellen. Wie Seide und Tee, so war auch das Porzellan in alter Zeit ein wichtiger Exportartikel Chinas. In vielen gesunkenen Handelsschiffen aus alter Zeit wurde chinesisches Porzellan

Galoppierendes Pferd, dreifarbig glasierte Keramik aus der Tang-Dynastie

gefunden. Heute sind in Museen auch des Auslands chinesische Porzellanwaren aus unterschiedlichen Perioden aufbewahrt.

Unter den chinesischen Porzellanwaren gibt es neben Eß-, Wein- und Teeservicen auch Schreibutensilien sowie kunsthandwerkliche Erzeugnisse wie Menschenfiguren, Tierfiguren und dekorative Porzellanpflanzen.

Vorgängerin des Porzellans war die Keramik. Bereits vor 7000 bis 8000 Jahren wurden in China Keramiken für den alltäglichen Gebrauch wie Schalen, Platten, Kochkessel und –töpfe, Weinkrüge, Waschbecken usw. hergestellt. Während der Qin- und der Han-Dynastie erreichte die Technik der Keramikproduktion, insbesondere die Herstellung von Tonplastiken, einen Höhepunkt. Beispiele dafür sind die Tonkrieger und –pferde des ersten Qin-Kaisers Shi Huang Di sowie bemalte Tonfiguren „Akrobaten und Tänzer", „Zitherspielerinnnen" und „Erzählkünstler" aus der Han-

Zeit. Dreifarbig glasierte Tonplastiken der Tang-Dynastie markierten einen neuen Höhepunkt in der Entwicklungsgeschichte der Tonskulpturen. Von den Tang-Tonplastiken sind die glasierten Menschenfiguren sowie Pferde- und Kamelfiguren am berühmtesten.

Im Vergleich zu den Keramiken ist das Porzellan eine Feintonware. Aus der Zeit der Shang-Dynastie sind noch einige grünglasierte Tonwaren erhalten, die als die ältesten Porzellanstücke gelten. Noch war die Glasurschicht damals ungleichmäßig und blätterte leicht ab. Dieses Porzellan wird in China als Grobporzellan

Bunt glasierter Krug mit Fisch- und Algenmustern aus der Ming-Zeit

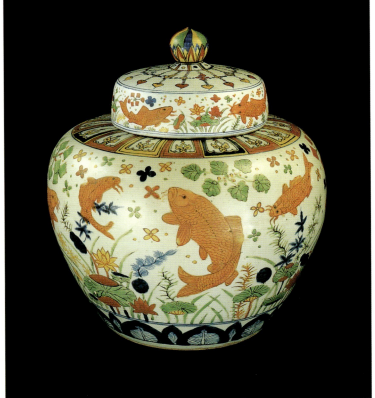

Krug mit roter Unterglasur und Drachenmuster aus der Yuan-Zeit

bezeichnet. Während der Östlichen Han-Dynastie wurde dann grünglasiertes Porzellan von weitaus besserer Qualität hergestellt.

Während der Tang-Dynastie erlebte die Herstellung von Porzellan und Keramik einen enormen Aufschwung. In Südchina mit Zhejiang als Zentrum wurden hauptsächlich grünglasierte Porzellanwaren und in Nordchina mit Hebei als Zentrm vor allen Dingen weiße Porzellanwaren hergestellt.

Die Song-Dynastie war eine weitere Blütezeit der Porzellanherstellung. Damals gab es im Land mehr als 30 private und staatliche Brennöfen, darunter waren die Ding-, Jun-, Ru-, Ge- und Guan-Brennhöfen am berühmtesten. Farbige glasierte Porzellanwaren mit schönen Mustern wurden alltägliche Gebrauchsartikel auch der einfachen Leute. Gleichzeitig wurde Porzellan in großer Menge exportiert. In den Dynastien nach der Song wurden Produktionsumfang und –technik erheblich erweitert und verbessert.

In der Ming-Zeit wurde Jindezhen, Provinz Jiangxi, das Zentrum der Porzellanherstellung des Landes. Das berühmteste Porzellan von Jingdezhen, der „Porzellan-Metropole", ist „weiß wie Jade, glänzend wie ein Spiegel, dünn wie Papier und wohlklingend wie Glockengeläut". Zu den bekannten traditionellen Produkten gehören blau-weißes Porzellan und blau-weißes Porzellan mit Reismuster. Besonders wertvoll ist das feine und glatte, blau-weiße Porzellan (Celadon), das mit blauen oder hellroten Ornamenten wie Blumen, Vögeln oder Landschaften geschmückt ist.

Von der Mitte des 17. bis zum Ende des 18. Jahrhunderts erreichte die Herstellungstechnik von Porzellan einen hohen Grad an Vollkommenheit. Vor allem waren das Emailfarbe-Überglasurporzellan und bunt glasiertes Porzellan üblich. In

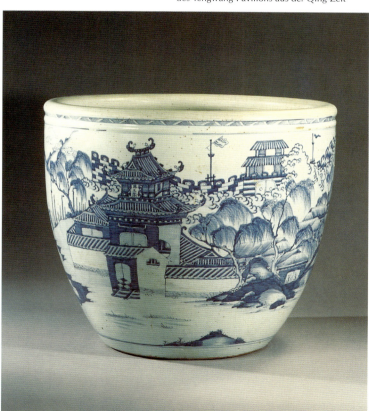

Blau-weiß glasierter Behälter mit einer Abbildung des Tengwang-Pavillons aus der Qing-Zeit

Jingdezhen erlebte wegen der Unterstützung durch die Regierung die Porzellanproduktion einen stürmischen Aufschwung. Die Zahl der Porzellanarbeiter betrug mehr als 100 000 Menschen. Die Kaiser der Frühperiode der Qing-Dynastie ernannten spezielle Beamte, die in Jingdezhen die Porzellanherstellung in den kaiserlichen Brennhöfen überwachten. Kaiserliche Maler entwarfen dekorative Muster von Blumen, Vögeln, Fischen und Insekten, von Landschaftsbildern, Figuren sowie Szenen aus Opern und Geschichten. Auch Gedichte und Kalligraphien wurden auf Porzellan verewigt.

Von der Song- bis der Qing-Dynastie gab es staatliche und private Brennhöfen. Die staatlichen Brennöfen achteten ganz besonders auf gute Qualität und Schönheit. Die Selbstkosten spielten dabei keine Rolle. Die Produkte von staatlichen Brennöfen wurden im allgemeinen nicht verkauft. Die privaten Brennhöfen lieferten sowohl Qualitätsprodukte für die höhere Gesellschaftsschicht als auch einfaches Porzellan. Berühmte Porzellanwaren aus verschiedenen Dynastien wurden im Laufe der Zeit zu begehrten Sammelobjekten.

Architektur

Besonderheit der Architektur

Die klassische chinesische Architektur ist durch ihre spezifische Bauweise, schöne Formgebung und reichhaltige künstlerische Ausstattung weltbekannt. Sie blickt auf eine lange Geschichte zurück und beinhaltet zahlreiche Stilrichtungen. Heute stehen viele Bauten aus alter Zeit unter staatlichem Schutz.

Im Vergleich zu alten Bauwerken des Westens ist die auffallende Besonderheit der klassischen chinesischen Bauwerke die Holzkonstruktion. Die Balken- und Säulenkonstruktion aus Holz hatte gegenüber anderen Bauweisen große Vorteile, so wurde sie zur wesentlichen Architektur in der chinesischen Geschichte und

Luftige Holzkonstruktion, bestehend aus Halle, Pavillon und Wandelgang

bildete verschiedene Formen heraus. Selbst manche Pagoden, Hallen und unterirdische Paläste kaiserlicher Gräber, die eigentlich Massivbauten aus Ziegeln und Steinen sind, sehen wie Holzstrukturen aus. Die Säulen, Balken und Pfetten aus Holz sind durch Zapfen verbunden. Indem nur die Säulen und Balken die Last tragen, „bleibt das Holzgerippe stehen, selbst wenn die Wände zerstört werden". Die Innenwände sind keine tragenden Teile und dienen nur zur Trennung der Räume. Sie können durch Holzbretter oder Wandschirme ersetzt und je nach Bedarf verändert werden. In kalten Regionen können die Wände dick sein, während in warmen Gegenden dünne Wände aus Brettern oder Bambus genügen. Das ist ein wesentlicher Vorteil der Holzkonstruktion. Außerdem sind die Balken und Säulen so konstruiert, dass durch Verzapfung ein elastisches Gerippe entsteht. Es ist relativ unanfällig gegenüber Erdbeben, was in einem Land wie China, das häufig von Erdbeben heimgesucht wird, sehr wichtig ist. Infolgedessen blieben viele tausendjährige Holzbauten, auch in Gebieten mit häufigen Erdbeben, bis heute erhalten.

Ein klassisches chinesisches Bauwerk, ob Palast, Tempel oder Wohnhof, ist ein Komplex, der aus mehreren einzelnen Bauten besteht. Ein einzelner Bau davon ist nicht so groß wie eine Kirche oder eine Residenz im Westen. Außer dem Tor-, Glocken- und Trommelturm in der Stadt ist der ganze Umriß eines einzelnen Baus aus der Ferne nicht zu erkennen. Der Grundriß eines chinesischen Baukomplexes muß der Forderung nach der Symmetrie und der Einrichtung der Zentralachse entsprechen. Die Hauptbauten eines größeren Komplexes befinden sich entlang seiner Zentralachse und seine Nebenbauten symmetrisch an beiden Seiten der Zentralachse. So entsprechen zum Beispiel die Grundrisse der kaiserlichen

Die bunten Malereien des Langen Wandelgangs des Sommerpalastes in Beijing stellen Szenen aus traditionellen Geschichten und Legenden, Charakterrollen von Opern und berühmte Landschaften dar.

Paläste, der Residenzen der hohen Beamten sowie der Altäre, Klöster und Tempel diesen Prinzipien. Bei kleineren Komplexen befinden sich ihre Häuser oder Räume rings um einen großen Hof in der Mitte.

Der Grundriß für Garten- und Parkanlagen wurde mit den geographischen Gegebenheiten und den natürlichen Bedingungen in Einklang gebracht.

Die künstlerische Formgebung der klassischen chinesischen Architektur erweckt einen schönen und harmonischen Eindruck. Sowohl jeder einzelne Bau wie jedes Ende eines Dachbalkens und jeder Gratziegel sind für sich ein Kunstwerk. Doch das schöne und harmonische Aussehen der Bauten und der variierenden Formen sind von den Baumeistern nicht beliebig gewählt worden. Sie richten sich nach der jeweiligen inneren Baustruktur und den praktischen Erfordernissen. Die geschwungene überstehende Dachkonstruktion zum Beispiel dient einerseits der besseren Ableitung des Regenwassers und spendet andererseits den Fenstern Schatten. Zur Verschönerung des äußeren Erscheinungsbildes der Gebäude sind der Dachfirst mit verschiedenen Tierfiguren und die Enden der Dachrinnenziegel mit Basreliefs von Pflanzen und Tieren verziert.

Die klassische chinesische Architektur weist eine Vielfalt von Farben auf, die entweder einen schroffen Kontrast bilden oder miteinander harmonieren. Anfangs diente die Lackierung nur dem Schutz des Holzes, später entwickelte sich daraus die bunte Bemalung der Bauten, die nicht nur praktische Funktion besaß, sondern auch der Verschönerung diente.

Die klassischen chinesischen Baukomplexe umfassen Paläste, Mausoleen, Sakralbauten, Altäre und Ahnentempel, Gärten und Wohnungen.

Paläste

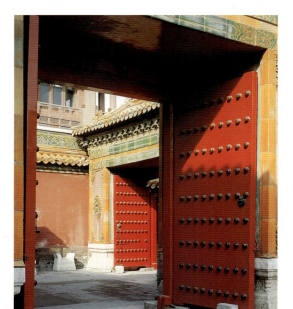

Die Palast-Komplexe dienten Königen und Kaisern als Residenzen. Ihre Gesamtanordnung sollte Macht demonstrieren. Innerhalb eines Palastkomplexes

Ein Tor des Kaiserpalastes

Der Kaiserpalast in Beijing, auch Zijincheng (Purpurne Verbotene Stadt) genannt

sind alle Hauptbauten an einer von Süden nach Norden verlaufenden Achse und alle anderen Bauwerke symmetrisch im Westen und Osten angeordnet. Im allgemeinen war der vordere Teil des Komplexes der Ort, wo die Kaiser die Staatsgeschäfte erledigten, und der hintere Teil der Wohnbereich und Vergnügungsort der kaiserlichen Familie. Der ganze Baukomplex ist von einer hohen Mauer umgeben. Vor dem Palast befinden sich der Ahnentempel und der Altar des Gottes des Ackers und des Gottes der Feldfrüchte. Hinter dem Palast waren Märkte. Die Pläste verschiedener Dynastien wurden alle nach diesen festen Muster erbaut. Ein typisches Beispiel dafür ist der Kaiserpalast in Beijing.

Der Kaiserpalast in Beijing, auch Zijincheng (Purpurne Verbotene Stadt) genannt, diente den Ming- und Qing-Kaisern als Residenz. Er ist der besterhaltene Palastkomplex in China. Die Bauarbeiten begannen im Jahre 1407 und wurden 1420 beendet. Vom Einzug des Ming-Kaisers Zhu Di in den Palast im Jahre 1420 bis zum Sturz des letzten Qing-Kaisers Pu Yi im Jahre 1911 lebten 24 Ming- und Qing-Kaiser in diesem Palast.

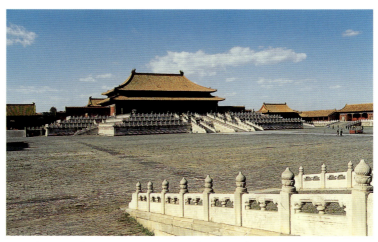

Die Taihedian (Halle der Höchsten Harmonie) des Kaiserpalastes

Der Kaiserpalast befindet sich in der Stadtmitte Beijings und hat eine Gesamtfläche von 720 000 Quadratmetern. Er ist der größte und besterhaltene kaiserliche Gebäudekomplex der Welt. Die Mauer des Kaiserpalastes ist mehr als 10 Meter hoch und hat einen Umfang von mehr als 3 Kilometern. Außerhalb der Mauer ist der Palast von einem 52 Meter breiten und 6 Meter tiefen Wallgraben umgeben. An der westlichen, östlichen, nördlichen und südlichen Seite hat der Palast je ein Tor. An den vier Ecken der Mauer des Palastes steht je ein Wachturm.

Der Grundriß des Kaiserpalastes entspricht völlig der Gesamtanordnung der Paläste vorheriger Dynastien. Der Palast ist in drei Teile untergliedert: Waichao (der Außenhof), wo der Kaiser seine Minister zu Audienz empfing und verschiedene Zeremonien stattfanden; Neiting (die Inneren Gemächer), die Wohngemächer des Kaisers, der Kaiserin und der kaiserlichen Konkubinen, sowie der Kaiserliche Garten.

Der Außenhof besteht hauptsächlich aus den Drei Großen Hallen Taihedian (Halle der Höchsten Harmonie), Zhonghedian (Halle der

Vollkommenen Harmonie) und Baohedian (Halle zur Erhaltung der Harmonie). Sie sind das Herz des Kaiserpalastes. Die Taihedian ist die wichtigste Halle der Kaiserpalastes. Von hier aus übte der Kaiser seine Macht aus. Viele wichtige Zeremonien fanden hier statt, wie etwa die Zeremonien anläßlich einer Thronbesteigung, einer Hochzeitsfeier des Kaisers, eines Geburtstags des Kaisers oder der Kaiserinmutter und eines Feldzugs, ferner die Audienzen für die Minister sowie Feiern an verschiedenen Festtagen.

Der ganze Komplex des Kaiserpalastes repräsentiert den Leitgedanken der Feudalgesellschaft „die kaiserliche Macht über alles" und die strenge feudale Ständeordnung. Die Hauptbauwerke des Palastes, die die Macht des Kaisers repräsentierten, befinden sich entlang der Zentralachse. Die Taihedian (Halle der Höchsten Harmonie), das wichtigste Bauwerk des Palastes, liegt in der Mitte des Außenhofs. Das Wumen (Mittagstor, auch Turm der fünf Phönixe genannt) ist das südliche erste Eingangstor zum

Der Altar der Götter der Erde und der Fruchtbarkeit in Beijing

Kaiserpalast. An beiden Seiten des Wumen gibt es je zwei Tore. Während der Ming- und der Qing-Dynastie durfte das Wumen nur vom Kaiser benutzt werden. Minister und andere Beamte sowie Angehörige des Kaiserhofs gingen durch vier Tore links und rechts des Wumen. Ein anderes Beispiel für die feudale Sändeordnung sind die Nägel an den Flügeln der Tore des Kaiserpalastes. Eigentlich befestigen Nägel Torflügel. Später wurden sie reine Ornamente und noch später Attribute des Rangunterschieds. Während der Ming-Dynastie legte die Regierung fest, dass ein roter Torflügel des Kaiserpalastes neun Reihen von Nägeln haben mußte. Jede Reihe hatte neun Nägel, also insgesamt 81 Nägel. Die Zahl der Nägel des Flügels von Residenzen der Beamten war der Reihe nach 49 bzw. 25 Nägel. Die Farbe der Tore des Kaiserpalastes ist rot, die anderen Tore mußten grün oder schwarz sein. Die Nägel der Tore des Kaiserpalastes waren golden, die der anderen Tore kupfern oder eisern.

In alter Zeit durfte man im Volk den Baustil der Bauwerke des Kaiserhofs nicht nachahmen und gelb glasierte Dachziegel nicht benutzen. In der Stadt Beijing durften keine Gebäude die Palasthallen überragen, was ebenfalls den Leitgedanken der Feudalgesellschaft „die kaiserliche Macht über alles" und die strenge feudale Ständeordnung verkörpert.

Altäre und Tempel

In alter Zeit waren Opferzeremonien von großer Bedeutung. Schon während der Zhou-Dynastie entwickelten sich verschiedene Opferzeremonien zu einem rituellen System. Damals war dieses rituelle System mit der feudalen Herrschaft eng verbunden. Es umfaßte Opferzeremonien für den Himmel, die Erde, die Ahnen

Die runde Qiniandian (Halle der Ernteopfer) und die viereckige Mauer des Himmelstempels in Beijing spiegeln die alte Vorstellung „der Himmel ist rund, die Erde viereckig" wider.

und verschiedene Gottheiten. So entstanden zahlreiche Altäre und Ahnentempel. Gut erhaltene Altäre und Tempel in Beijing sind der Himmelstempel südlich des Kaiserpalastes, der Erdaltar nördlich davon, der Sonnenaltar östlich, der Mondaltar westlich sowie der Kaiserliche Ahnentempel und der Altar der Götter der Erde und der Feldfrüchte in der Stadtmitte.

Während der Ming- und der Qing-Dynastie befand sich im heutigen Sun Yat-sen-Park westlich des Tian'anmen-Turms der Altar der Götter der Erde und der Feldfrüchte. Der Altar war 15 Meter lang und einen Meter hoch und wurde von Erde in fünf Farben bedeckt. Die Erde in der Mitte war gelb, die an der südlichen, westlichen, nördlichen und östlichen Seite jeweils rot, weiß, schwarz und grün. Diese fünf Farben vertraten je fünf

Der Ahnentempel der Familie Chen in Guangdong

Himmelsrichtungen des Landes. Der Kaiserliche Ahnentempel der Ming- und der Qing-Dynastie befand sich im heutigen Kulturpalast der Werktätigen östlich des Tian'anmen-Turms. Hier opferten die Kaiser ihren Ahnen. Das ganze Bauwerk umfaßte eine Vorder-, Mittel- und Hinterhalle sowie einige Nebenhallen zu beiden Seiten und war von dreifach gestaffelten Mauern umgeben.

Die Kaiser richteten ihre Gebete an den Himmel, die Erde, die Sonne und den Mond sowie zum Berg- und Flußgott für eine reiche Ernte und Frieden unter dem Himmel. Von den verschiedenen Opferzeremonien war jene für den Himmel die wichtigste und feierlichste. Als „Himmelssohn" hatte nur der Kaiser das Recht, dem Himmel jedes Jahr einmal zu opfern. Von den Altarbauten Chinas ist der Himmelstempel in Beijing der größte und besterhaltene.

Der Himmelstempel befindet sich im Süden des Stadtgebiets von Beijing. Er ist der größte Tempelkomplex Chinas. Mit einer

Fläche von etwa 270 ha ist er mehr dreimal so groß wie der Kaiserpalast.

Der Himmelstempel ist von zwei Mauern—einer Innen- und einer Außenmauer—umgeben. Beide Mauern sind oben abgerundet und unten rechteckig, denn nach alter Vorstellung symbolisierte die Rundung den Himmel und das Quadrat die Erde. Die Hauptgebäude des Tempels sind von Süden nach Norden der Huanqiu (Himmelsaltar), die Huangqiongyu (Halle des Himmelsgewölbes) und die Qiniandian (Halle der Ernteopfer).

Der Huanqiu (Himmelsaltar) ist eine runde, in drei Stufen erbaute Terrasse aus schneeweißem Stein. Er symbolisiert den Himmel. Der Huanqiu, von weißen Marmorbalustraden umgeben, ist der Platz, wo der Kaiser dem Himmel opferte.

Die Huangqiongyu (Halle des Himmelsgewölbes), das Hauptgebäude im Süden des Himmelstempels, ist eine runde Halle mit einem Dach aus dunkelblau glasierten Ziegeln. Zur Zeit der Ming- und der Qing-Dynastie wurde hier das Gedenktäfelchen des Himmelsgottes aufbewahrt. Die Huangqiongyu ist von einer kreisförmigen Mauer umgeben. Das ist die berühmte Echomauer (Huiyinbi).

Die Qiniandian (Halle der Ernteopfer) ist ein dreistöckiges rundes Bauwerk. Ihr dreistufiges Dach aus dunkelblau glasierten Ziegeln ist von einer vergoldeten Spitze gekrönt. Jede der drei Stufen des Unterbaus ist von einem Geländer aus weißem Marmor mit Basreliefs umgeben. Die vier mittleren Säulen sind die größten Säulen des Bauwerks. Sie symbolisieren die vier Jahreszeiten. Die im Kreis aufgestellt zwölf Säulen, die die erste Stufe des Daches tragen, symbolisieren die zwölf Tageszeiten (im alten China rechnete man in Doppelstunden). Und die weiteren zwölf Säulen,

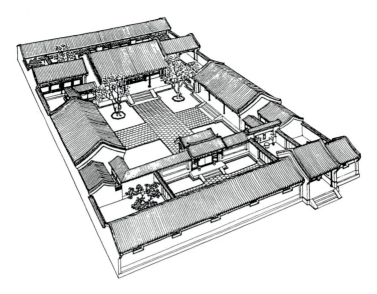

Die Anlage eines typischen Beijinger Wohnfs

ebenfalls im Kreis angeordnet, stehen für die zwölf Monate. Die erstgenannten vier größten Säulen ausgenommen, symbolisieren die weiteren 24 Säulen die 24 Zeitabschnitte des Solarjahres im traditionellen chinesischen Bauernkalender.

In alter Zeit hatte jede Großfamilie ihren Clantempel, wo man den Ahnen opferte. Um den Vorfahren Ehre zu machen, wurden manche dieser Tempel prächtig erbaut. Manche Ahnentempel hatten mehrere Höfe, in denen Schulen oder andere Institutionen eingerichtet waren.

Wohnhäuser

Die verschiedenen Regionen Chinas weisen große klimatische Unterschiede auf, und alle Nationalitäten haben ihre eigenen Sitten und Gebräuche. So haben auch die chinesischen Wohnhäuser unterschiedliche Baustile.

In Nordchina nimmt der Siheyuan, ein viereckiger Wohnhof mit Mauern an vier Seiten, eine dominierende Stellung ein. Er besteht aus einem Vorderhof und einem Hinterhof. Die Räume an der südlichen Seite des Vorderhofs dienen als Besuchs- und Studienzimmer. Alle Schlafzimmer der Familienangehörigen befinden sich im Hinterhof. Die Räume, die nach Süden liegen, sind für die ältere Generation bestimmt, die Flügelzimmer an der östlichen und westlichen Seite für die Familienangehörigen der jüngeren Generation. Alle Zimmer des Vorder- und Hinterhofs sind durch einen Wandelgang verbunden. Die Küche, die Toilette und Lagerräume liegen an der linken und rechten Seite des Hauptraums des Hinterhofs. Ein großer Siheyuan-Wohnhof hat vier oder fünf Höfe. In manchen solcher Wohnhöfe gibt es Gärten.

In Nordchina wohnten die Hirten früher in Jurten, doch heute haben sich viele von ihnen niedergelassen und wohnen in festen Häusern aus Lehm und Holz. In manchen Regionen auf dem

Wohnhaus in Fujian, genannt „Tulou". Es ist ein Rundhaus mit einem großen Innenhof und wenigen Öffnungen in der Außenwand.

Bauernhäuser in Jiangxi im traditionellen Baustil Südchinas.

Lößplateau und in Nordwestchina, wo ein kaltes trockenes Klima herrscht, ist es bis heute üblich, in Höhlen zu wohnen. Im allgemeinen sind die Wohnhöhlen an Abhängen, die nach Süden gehen und daher Schutz gegen Wind und Regen bieten, angelegt. In manchen Gebieten gräbt man eine große rechteckige Grube und dann an den vier Wänden Höhlen, die man wohnlich einrichtet. So entsteht ein unterirdischer Wohnhof. Die Wohnhöhle bietet genügend Raum, sie ist im Sommer kühl und frisch, im Winter warm.. Die Baukosten dafür sind niedrig.

In Südchina gibt es sowohl Wohnhäuser mit großem Hof als auch Wohnhäuser ohne Hof. In Südanhui und Nordjiangxi baut man um einen rechteckigen Hof an vier oder drei Seiten Wohngebäude. So entsteht ein schmaler und hoher rechteckiger Hof, was für einen guten Zug sorgt. Die Regenwasser aller Wohngebäude fließen durch Dachrinnen in den Hof, was die tiefere Bedeutung hat, dass der Reichtum nicht nach außen abließt. An der Außenseite der Wohngebäude entlang baut man die Feuerschutzwand, deren Mauerkronen und Dachvorsprünge höher als die Dächer der Wohngebäude sind.

In Fujiang und Südjiangxi gibt es ein „Tulou" genanntes Wohnhaus. Es ist ein Rundhaus mit einem großen Hof und wenigen Öffnungen in der Außenwand. Deshalb sieht es wie eine Festung aus. Die Außenwand dieses vier- oder fünfgeschossigen Rundhauses ist ein bis zwei Meter dick, der Durchmesser des Außenkreises der Anlage beträgt 50 bis 60 Meter, bisweilen sogar 80 bis 90 Meter. In einem großen Rundhaus wohnen Dutzende von Familien der gleichen Sippe. Die Zimmer im Erdgeschoß dienen als Küchen, die im ersten Stock als Lagerräume und die vom zweiten Stock an aufwärts als Schlafräume. Im Hof des Rundhauses befindet sich der Ahnentempel, in dem Hochzeitsfeiern, Trauerzeremonien usw. stattfinden. Die Entstehung dieser Rundhäuser hat geschichtliche Gründe. Einst flohen viele Leute wegen Kriegswirren von Nordchina nach Fujian und Guangdong. Die dortigen Einwohner nannten sie Hakka. In ihren neuen Lebensgebieten gab es aus einem Widerspruch der Interessen häufig Streit und sogar bewaffnete Konflikte. Um sich zu verteidigen, baute man diese Rundhäuser.

In Südwestchina leben viele nationale Minderheiten. Dort regnet es viel, es ist feucht und sehr warm. Aufgrund der Besonderheit dieses Klimas gingen die dortigen Einwohner nach und nach dazu über, ihre Wohnhäuser auf Gestellen zu errichten, die entweder aus Stein oder aus Holz oder Bambus bestehen. Diese Häuser sind gut belüftet. Ein typisches Beispiel dafür ist das Bambushaus der Dai-Nationalität in Yunnan. Den Freiraum der auf Pfählen gebauten Häuser benutzt man als Unterstand für Vieh oder als Lagerraum. Die oberen Räume dienen als Wohn- und Schlafzimmer.

Die klassischen Gärten

Bereits im 11. Jahrhundert v. Chr. gab es einen „You" (囿) genannten Park, in dem man Tiere züchtete. Könige und Fürsten jagten und vergnügten sich oft in solchen Parks. In den verschiedenen Dynastien danach wurden weitere solche Gärten gebaut. Während der Ming- und der Qing-Dynastie erlebte der Bau der Gärten einen großen Aufschwung. Die meisten der heute erhaltenen Gartenanlagen stammen aus diesen zwei Dynastien. Umfang sowie Architektur und Ausstattung dieser Gärten stellen den Höhepunkt in der Geschichte des chinesischen Gartenbaus dar.

Grundsätzlich lassen sich vier Arten von Gartenanlagen unterscheiden: die kaiserlichen, die privaten, die Tempel- oder Klostergärten und die natürlichen Parks.

In der Geschichte war Nordchina das politische Zentrum des Landes. Deswegen befinden sich die kaiserlichen Gärten in

In alten Gärten hat man durch Tore oder Fenster oft malerische Durchblicke. Das Bild zeigt einen solchen Effekt im Shouxihu-Garten in Yangzhou.

Der Foxiangge (Pavillon des Göttlichen Wohlgeruchs) ist das repräsentative Bauwerk und der Mittelpunkt der Landschaften des Sommerpalastes.

Nordchina. In der Regel stellen die kaiserlichen Gärten riesige Anlagen dar, in denen sich palastähnliche Bauten, Pavillons, Lauben, Terrassen und Wandelgänge sowie Seen und Berge befinden und die den Herrschern als Sommerresidenz und Vergnügungsort dienten. Ein Beispiel für klassische Gärten ist der Yuanmingyuan.

Die Bauarbeit am Palast Yuanmingyuan (Garten des Hellen Vollmondes), der größten kaiserlichen Palastanlage mit mehr als 100 Landschaften, begann Anfang des 18. Jahrhunderts und dauerte mehr als 100 Jahre. In diesem Park gab es sowohl Bauwerke im chinesischen Stil als auch im westlichen Stil. Er wurde von Europäern als „Garten der hundert Gärten" bezeichnet. Der

Der Wangshiyuan (Garten des Fischers) in Suzhou ist ein Meisterwerk unter den Privatgärten in Südchina.

Yuanmingyuan-Palast wurde 1860 und 1900 zuerst von der englisch-französischen Interventionsarmee und dann von der alliierten Interventionsarmee der acht Mächte geplündert und niedergebrannt. Heute sind von dem Palast nur noch Ruinen vorhanden. Der Sommerpalast in Beijing ist der bis heute besterhaltene Kaisergarten Chinas.

Die damals privaten Gärten befinden sich hauptsächlich in Suzhou und Yangzhou in der Provinz Jiangsu und in Hangzhou in der Provinz Zhejiang. Besitzer dieser Gartenanlagen waren hohe Beamte, Gelehrte und reiche Kaufleute.

Zu einer typischen privaten Gartenanlage gehören Teiche, Hügel, Pavillons, Wandelgänge, Grünanlagen und Terrassen sowie Höfe und Wohngemächer. Die meisten dieser Gärten sind dadurch gekennzeichnet, dass die künstlich geschaffenen Formen der Landschaft harmonisch angepaßt sind. In einem private Garten ist es eine häufige Sinneswahrnehmung: ruhig und still sowie natürlich. Die berühmtesten dieser Gärten sind in Suzhou.

Der natürliche Garten befindet sich in einem Naturschutzgebiet, nicht weit entfernt von einer Stadt. Darin sind sowohl Naturlandschaften wie auch Pavillons und Lauben, Terrassen und Türme zu sehen. Überdies baute man darin taoistische Tempel und buddhistische Klöster. Im allgemeinen sind diese natürlichen Gärten mit der lokalen Kultur und mit Legenden verbunden. Überall in China sind solche Gärten zu sehen. Unter ihnen ist der Westsee in Hangzhou der bekannteste.

In alter Zeit wurden viele buddhistische Klöster und taoistische Tempel in Gebirgen oder Waldgebieten errichtet, und überall dort legte man auch Gärten an, damit man dem Buddhismus oder Taoismus vertreiben und völlig nach dessen Doktrinnen lebt. Nicht wenige Tempelgärten sind bis heute in bestem Zustand erhalten. Beispiele sind der Lingyin-Tempelgarten in Hangzhou und der Tanzhe-Tempelgarten bei Beijing.

Im Unterschied zu den klassischen europäischen Gärten, die die geometrische Form betonen, sind die klassischen chinesischen Gärten eine Verbindung von praktischer Funktion und Schönheit der Natur. Beim Bau eines Gartens war ein Prinzip zugrunde gelegt, nämlich das Streben nach einer Einheit und Harmonie zwischen Natur und Mensch, der Wunsch nach Verschönerung und Vervollkommung. Deshalb wirken die chinesischen Gärten so natürlich. Darüber hinaus wird Leere mit Hilfe verschiedener Techniken in einem Garten vorgespiegelt. Kleines erscheint groß, ein interessanter künstlerischer Effekt.

Die Lehre der konfuzianischen Schule

Die Schulen der verschiedenen Denkrichtungen und ihre Repräsentanten von der Vor-Qin-Zeit bis zur Früh-Han-Zeit

Die Frühlings- und Herbstperiode und die Zeit der Streitenden Reiche vor der Qin-Dynastie waren von großer politischer Unruhe und Kriegswirren gekennzeichnet. Doch gleichzeitig kam es zu heftigen wissenschaftlichen Auseinandersetzungen zwischen unterschiedlichen Philosophenschulen und zum „Wettbewerb der hundert Schulen". Unter ihnen waren die konfuzianische, mohistische, taoistische und legalistische Schule die wichtigsten. In sozialen und politischen Angelegenheiten nahm jede ihre eigene Position ein. Alle beschäftigte die Frage, wie man eine gut organisierte, harmonische und glückliche Gesellschaft errichten kann.

Der Begründer des Mohismus war Mo-tse (ca. 468—376 v. Chr.). Er war der Meinung, daß der Grund für soziale Unruhen darin liege, daß die Menschen einander nicht liebten. Er trat dafür ein, daß man keinen Unterschied zwischen Verwandten oder Nichtverwandten, zwischen Bekannten oder Unbekannten machen und alle Menschen lieben solle. Mit allen Mitteln bekämpfte er Krieg und Annektierung. Die Mohistenschule predigte die Sparsamkeit und kämpfte gegen übermäßigen Aufwand und Verschwendung sowie umständliche Formalitäten. In der Politik befürwortete Mo-tse die Beförderung von fähigen Menschen. Strikt war er gegen das System der Ämtervererbung.

Die Mohistenschule schenkte der Familie keine Aufmerksamkeit. Sie trat dafür ein, die Trennungslinie zwischen Familien zu brechen. Doch diese Auffassung konnte von späteren Herrschern nicht akzeptiert werden, weil sie in krassem Widerspruch zu den überlieferten Ideen von der Familie in der chinesischen Gesellschaft stand.

Während der Zeit der Streitenden Reiche traten neben dem Konfuzianismus und der Mohistenschule der Taoismus und der Legalismus auf.

Der Begründer des Taoismus war Lao-tse. Aus dem Staat Chu stammend, lebte er ungefähr zur selben Zeit wie Konfuzius. Später entwickelte Zhuang Zi (ca. 369—286 v. Chr.) die Lehre von Lao-tse weiter. Der Taoismus kämpfte gegen strenge Regierungsverordnungen und befürwortete den Verzicht auf Eingriffe in den natürlichen Lauf der Dinge. Alles sollte sich den natürlichen Verhältnissen anpassen. Die ideale Gesellschaft des Taoismus sollte

Die konfuzianische Schule betonte die Ethik, Moral, Treue und Pietät. Dieses Wandgemälde befindet sich im Qinglong-Tempel in Shanxi.

ein kleiner Staat mit geringer Bevölkerung sein, in dem alle Menschen ein bescheidenes Leben führten. Die taoistische Schule verachtete alle die Zivilisation fördernden Errungenschaften wie moderne Geräte, Werkzeuge und Fahrzeuge und trat dafür ein, sich auf die ursprüngliche Reinheit, Einfachheit und Natürlichkeit zurückzubesinnen. Sie betonte die absolute Freiheit des Individuums. In der chinesischen Geschichte existierte die taoistische Lehre als Ergänzung des Konfuzianismus. Mit ihrer Auffassung „in die Natur gehen" spornte die taoistische Lehre von Anfang eine Unmenge von Gelehrten an. Viele lebten zurückgezogen von der Welt.

Der führende Vertreter des legalistischen Schule war Han Fein (280—233 v. Chr.). Er und seine Anhänger befürworteten eine Stärkung der monarchischen Macht und Regierung des Staates durch Gesetz. Sie waren der Meinung, daß ein Monarch keine Begabung und keine hohe Moral zu besitzen brauchte. Er solle nur Gesetze und Verordnungen erlassen können. Bei der Durchführung der Gesetze sollte man vornehme und einfache Leute gleichberechtigt behandeln und unvoreingenommen belohnen und bestrafen. Han Fei machte Vorschläge zur Stärkung der Feudalherrschaft, die darauf hinausliefen, Gesetze, Taktik und Macht miteinander zu verbinden. „Taktik" sei das Mittel zur Kontrolle über Beamte und Volk. Herrschaft mit Gesetzen ohne Taktik könne Beamte nicht daran hindern, ihre eigene Macht auf Kosten der Autorität des Monarchen auszubauen. Andererseits würde die Herrschaft mit Taktik ohne Gesetz die Stabilität der Regierung schwächen. Zusätzlich zu Gesetz und Taktik brauche man Macht. Mit Macht war die oberste Autorität des Monarchen gemeint. Sie allein könne Gesetz und Taktik Wirkung

▶ „Sechs Einsiedler am Bambushain und Bächlein". Unter dem Einfluss der taoistischen Lehre lebten viele Gelehrte in alter Zeit zurückgezogen von der Welt.

verleihen. Alle drei—Gesetz, Taktik und Macht—wären unentbehrliche Werkzeuge des Monarchen. Die Ideologien der legalistischen Schule beeinflußten beträchtlich die spätere Politik. Ganz in diesem Sinne vereinigte Qin Shi Huang das Land und errichtete die erste feudale Dynastie in der chinesischen Geschichte— die Qin-Dynastie.

Konfuzius

Konfuzius (551—479 v. Chr.), dessen persönlicher Name Qiu war und der später mit Zhongni angesprochen wurde, stammte aus Zouyi im heutigen Kreis Qufu, Provinz Shandong, damals ein Teil des Staates Lu. Er war Pädagoge und ein Mensch von großer Gelehrsamkeit. Seine philosophische Lehre sollte 2000 Jahren lang das Leben und Denken der Chinesen bestimmen. Sein Vater starb kurz nach seiner Geburt und die Mutter während seiner Jugendzeit.

Konfuzius war unersättlich im Lernen. Er sagte: „Unter drei Menschen gibt es bestimmt einen, den ich als Lehrer nehmen kann." Erst in seinen Fünfzigern wurde er Beamter im Staat Lu. Doch schon nach einigen Jahren verließ er sein Regierungsamt und reiste durch verschiedene Staaten, um seine Ansichten über Staat und Regierung zu propagieren. Man schenkte seinen Ideen jedoch kein besonderes Interesse. Enttäuscht kehrte er nach Lu zurück und verbrachte die letzten Jahre seines Lebens lehrend und schreibend.

Der Kern der Moralphilosophie des Konfuzius ist die Humanität. Konfuzius erklärte: „Humanität bedeutet, die anderen zu lieben." Die Menschen sollten ihren Nächsten lieben wie sich selbst. So könne jeder auch selbst die Liebe der Mitmenschen erfahren. Über die Frage, wie die Humanität in die Tat umgesetzt werden könne, sagte Konfuzius: „Wenn du selbst in der Gesellschaft auf festen Füssen

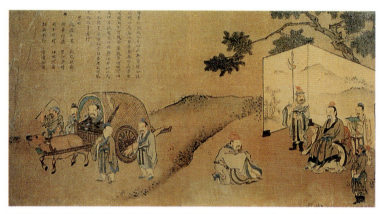

„Szenen aus dem Leben des Konfuzius" aus der Ming-Zeit (Ausschnitt)

stehen willst, laß auch andere auf festen Füssen stehen; wenn du selbst große Erfolge erzielen kannst, laß andere auch große Erfolge erzielen." Und: „Behandle keinen, wie du nicht selbst behandelt werden willst." Sehr wichtig waren für Konfuzius Etiketten und Rituale, die Verhaltensregeln im gesellschaftlichen Leben. Nur dadurch, dass man gewöhnliche Leute moralisch und rituell aufklärt und bei ihnen eine innere Wandlung bewirkt, können die öffentliche Ordnung und ein hamonisches Familienleben aufrechterhalten werden. Moral und Gerechtigkeit waren Konfuzius wichtiger als eigene Interessen. Besonders betonte er die Bedeutung der Moral bei der Regelung der Staatsangelegenheiten. Die Regierung des Staates müsse moralische Maßstäbe setzen, und wirtschaftlich sollte eine Politik durchgeführt werden, die dem Volk materiell Vorteile bringt.

Konfuzius redigierte Überlieferungen zufolge in seinen späten Jahren das *Buch der Lieder*, das *Buch der Urkunden*, das *Buch der Riten*, das *Buch der Wandlungen*, das *Buch der Musik* und die *Frühlings- und Herbstannalen*, die sechs Klassiker der konfuzianischen Schule. Das *Buch der Lieder* ist die erste chinesische Sammlung von Gedichten und das erste bedeutsame Werk der chinesischen Literatur überhaupt. Das *Buch der Wandlungen* enthält ein umfangreiches Wissen aus den Bereichen Politik und Philosophie. Das *Buch der Urkunden* ist eine Sammlung von Dokumenten der Xia-, der Shang- und der Zhou-Dynastie. Das *Buch der Riten* beschreibt das System der Rituale. Das *Buch der Musik* legt umfassend die musikalischen Grundsätze dar. Die *Frühlings- und Herbstannalen* schließlich beschreiben wichtige geschichtliche Ereignisse des Staates Lu. Aussagen und Aussprüche von Konfuzius haben seine Schüler in dem Buch *Lun Yu* (*Gespräche*) überliefert.

Vor Konfuzius waren Bildung und Erziehung der Aristokratie vorbehalten. Nur Kinder von Adligen hatten das Recht auf eine Schulbildung. Konfuzius zerschlug dieses Monopol der Aristokratie. Er trat dafür ein, private Schulen zu errichten, und bildete als erster Privatlehrer in der chinesischen Geschichte mehr als 3000 Schüler heran. Über 70 seiner Schüler wurden berühmte Gelehrte.

Pflege und Verbreitung der konfuzianischen Lehre

Nach Konfuzius entstanden mehrere Schulen zur Pflege und Verbreitung seiner Lehre. Davon waren die zwei Schulen mit Menzius und Xun Zi an der Spitze am einflußreichsten.

Menzius (ca. 372—289 v. Chr.) stammte aus Zou (heute Kreis Zouxian, Provinz Shandong). Sein persönlicher Name war Ke, seine Anrede Ziyu. Wie Konfuzius so war auch Menzius ein Privatlehrer. Auf der Grundlage der von Konfuzius gepredigten Menschenliebe und gemeinnüzigen Maßnahmen propagierte er die „humane Politik" und verdammte jede Form von Tyrannei. Das Volk, so seine Theorie, sei am wichtigsten, der Gott des Ackers und der Feldfrüchte nehme den zweiten Platz ein und der König sei unbedeutend. Vor allem in der Han-Zeit stand seine Lehre hoch im Kurs. Seine Ideen sind in dem Buch *Menzius* enthalten, das während der Song-Dynastie zusammen mit dem Buch *Gespräche* in die klassischen Werke des konfuzianischen Schule eingestuft wurde.

Xun Zi (ca. 313—238 v. Chr.), auch bekannt als Xun Kuang oder Xun Qing, sammte aus dem Staat Zhao. Er verneinte eine göttliche Vorsehung, wetterte gegen den Aberglauben und war der Meinung, daß der Mensch von Natur aus böse sei. Er entwickelte die Gedanken

Die private höhere Lehranstalt Yuelu in Changsha, Hunan, wurde im Jahre 976 eingerichtet und gehörte zu den bekannten Schulen jener Zeit. Die jetzige Schulanlage wurde in der Qing-Zeit gebaut.

von Konfuzius bezüglich einer „Staatsverwaltung durch Riten" weiter und betonte, daß der Mensch dadurch gebessert werden könne. Der Staat müsse sowohl mittels Riten als auch mittels Gesetzen, sowohl durch humane Politik als auch mit Strenge regiert werden. Später verschmolzen die Lehren des Menzius und die der legalistischen Schule miteinander. Han Fei, Hauptvertreter der Schule der Legalisten, und Li Si, Kanzler des ersten Kaisers Qin Shi Huang, waren Schüler von Xun Zi.

Vor der Han-Zeit verbreiteten sich die Lehren des Konfuzius zwar rasch, doch die Regierungen der verschiedenen Staaten beachteten sie kaum. In der frühen Han-Zeit waren die konfuzianischen Lehren bald allgemeinen bekannt. Nicht lange nach Kaiser Wudis Thronbesteigung machte Dong Zhongshu ihm den Vorschlag, allein die konfuzianische Schule anzuerkennen und zu fördern. Aus Gründen der Konsolidierung seiner Macht nahm Kaiser Wudi diesen Vorschlag an. Er erklärte den Konfuzianismus zur offiziellen Lehre und verweigerte den Gelehrten anderer Schulen die Beamtenlaufbahn. Das Studium der konfuzianischen Klassiker wurde allmählich Pflicht, der Konfuzianismus begann zu dominieren. Natürlich unterschied sich die jetzige konfuzianische Lehre von jener in der Qin-Dynastie, da sie inzwischen viele Ideen der legalistischen und anderer Schulen in sich aufgenommen hatte. Daher tadelten Vertreter der orthodoxen konfuzianischen Schule Herrscher verschiedener Dynastien,die konfuzianische Lehre sei zu oberflächlich, wirklich darin sei nur die legalistische Lehre.

Die konfuzianisch-idealistische Schule in der Song-Dynastie wurde als die „neue konfuzianische Lehre" bezeichnet. Sie nahm viele Ideen des Buddhismus und des Taoismus in sich auf. Die Kerndoktrin der konfuzianisch-idealistischen Schule war die

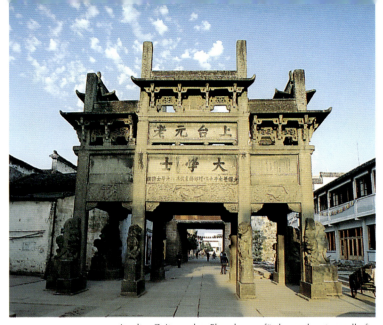

In alter Zeit wurden Ehrenbogen für besonders tugendhafte Menschen, loyale Beamte und keusche Frauen errichtet. *Bild:* Gedenkbogen für den Gelehrten Xu Guo im Kreis Shexian, Anhui

Beziehung zwischen der Bildung des Menschen und der Politik. Sie betonte das moralische Bewußsein und die Integrität der Einzelperson und forderte, daß man die Grundtugenden wie Pietät, Treue und Gerechtigkeit streng befolgen und Eigensucht vermeiden sollte.

In den mehr als 2000 Jahren von der Han- bis zum Ende der Qing-Dynastie war die konfuzianische Lehre Staatsphilosophie im monarchistischen China. Konfuzius, der zu seinen Lebzeiten viel Enttäuschungen erlebt hatte, wurde nach seinem Tod wie ein Heiliger verehrt. In China wurden zahlreiche Konfuziustempel gebaut, in denen Kaiser und Würdenträger verschiedener Dynastien Opferzeremonien veranstalteten. Nachdem die Qing-Dynastie, die letzte feudale Dynastie in China, zugrunde gegangen war, wurden die Ideen der konfuzianischen Schule von chinesischen Intellektuellen jedoch heftig kritisiert. Die konfuzianische Lehre verlor ihre dominierende Stellung.

Das Bildungswesen in Chinas alter Zeit

China gehört zu den Ländern der Welt, die am frühesten Schulen eingerichtet haben. Schon während der Westlichen Zhou-Dynastie entstanden schulähnliche Anstalten, an denen Riten, Musik, Wagenlenken, Lesen und Schreiben sowie Mathematik unterrichtet wurden. Zur Zeit der Frühlings- und Herbstperiode und der Streitenden Reiche entstanden Privatschulen. Als ihr Begründer gilt Konfuzius. Lange Zeit bestanden öffentliche und private Bildungseinrichtungen nebeneinander als die zwei Grundtypen feudaler Erziehung.

Öffentliche Schulen wurden von der Regierung eingerichtet. Es waren dies zentrale Schulen, die direkt der Zentralregierung unterstanden, und regionale Schulen, die von regionalen Regierungen verwaltet wurden. Von den öffentlichen Schulen waren die Höchste

„Dorfkinder in der Schule", ein Bild aus der Qing-Dynastie

Eine private Schule in der Spätzeit der Qing-Dynastie

kaiserliche Lehranstalt und die Kaiserliche Akademie Elitelehranstalten. Von der Zeit der Herrschaft des Kaisers Wudi der Han-Dynastie an wurde die Höchste kaiserliche Lehranstalt eingerichtet. Anfang des 2. Jahrhunderts erreichte die Zahl der Studenten an der Kaiserlichen Lehranstalt über 30 000. Im Jahre 276 entstand die Kaiserliche Akademie, die nur dem Nachwuchs der Aristokratie und hohen Beamtenschaft offenstand. Die Vermittlung des Konfuzianismus stand im Mittelpunkt der Kaiserlichen Akademie, die Dozenten waren Experten für die sechs Klassiker. In den staatlichen zentralen Schulen wurden noch Abteilungen eingerichtet, in denen Kampfkunst, Mathematik, Medizin, bildende Künste, Kalligraphie und Justizwesen unterrichtet wurden.

Da es öffentliche Schulen nur in beschränkter Anzahl gab, gingen die Kinder von Gutsbesitzern überwiegend in Privatschulen, die auch als *Xueguan* („Hallen des Lernens" bzw. „Hallen der Gelehrtsamkeit") bezeichnet wurden. Diese Privatschulen wurden meist von Lehrern eingerichtet. Daneben gab es noch zwei Arten von Privatschulen: sogenannte „Familienhallen" von Gutsbesitzern und Kaufleuten in ihren eigenen Wohnungen und „Hallen der Barmherzigkeit" oder „Wohlfahrtsschulen" in öffentlichen Gebäuden wie Ahnentempeln oder Pilgerstätten. In den letztgenannten Schulen brauchten die Schüler kein Schulgeld zu bezahlen. Die Privatschulen waren in untere und obere Stufen gegliedert. In den Schulen der Unterstufe lernten die Kinder lesen und schreiben, und in den Schulen der Oberstufe, die etwa modernen Hochschulen entsprachen, studierte man konfuzianische Werke, Prosa in klassischem Stil und Aufsatzschreiben.

Im alten China gab es noch eine wichtige Lehranstalt namens *Shuyuan*, „Private höhere Lehranstalt". Während der Tang-Dynastie zunächst lediglich eine Stätte zur Aufbewahrung, Pflege und Bearbeitung von Büchern, nahm sie später mehr und mehr den Charakter einer Schule an. In der Song-Dynastie vermehrte sich die Zahl solcher Schulen. Meist war ihr Leiter ein berühmter Gelehrter, und unter ihm studierte man konfuzianische Werke mittels freier Diskussion in Gruppengesprächen. Die Studierenden entstammten ausschließlich der Aristokratie und Gutsbesitzerschaft. Anfangs wurden solche Lehranstalten privat betrieben, kamen aber von der Yuan-Dynastie an nach und nach unter staatliche Kontrolle und erhielten einen halböffentlichen Status. In der Qing-Dynastie, als es Privatpersonen verboten wurde, Schulen zu unterhalten, wurden schließlich alle Erziehungseinrichtungen staatlich.

Das System der Kaiserlichen Staatsdienstexamen

Konfuzius gab die Devise aus: „Wer gut lernt, wird Beamter." Nach Ansicht von Konfuzius sollte es das Ziel des Studiums sein, sich mit Politik und Moralphilosophie zu befassen. Diese Auffassung

Das Höchste kaiserliche Erziehungsamt war während den Dynastien Yuan, Ming und Qing die Höchste Saatsakademie. *Bild:* Das Tor des Höchsten kaiserlichen Erziehungsamtes in Beijing

übte eine großen Einfluß auf zahllose Intellektuelle späterer Zeiten aus. Die Kaiserlichen Staatsdienstexamen, die in China 1300 Jahre lang durchgeführt wurden, waren der einzige Weg, eine Beamtenlaufbahn einzuschlagen.

Während der Han-Dynastie wurden die an der Höchsten kaiserlichen Lehranstalt Studierenden im allgemeinen von Sonderbeauftragten der Zentralregierung, manchmal von lokalen Behörden ausgewählt. Wer hoher Beamter werden wollte, mußte die konfuzianischen Werke eifrig studieren und dann das kaiserliche Examen bestehen. So wurde die konfuzianische Lehre die Grundlage des Bildungswesens im alten China. Das System der kaiserlichen Staatsdienstexamen nahm in der Han-Dynastie seinen Anfang. Allerdings wurde die Examen da noch von der Aristokratie und lokalen Beamten manipuliert. Sie trafen die Auswahl nicht nach der Fähigkeit, sondern nach sozialer Stellung, Herkunft und Reichtum eines Bewerbers. Außerdem war das Examenssystem noch bei weitem nicht vollständig. So konnte man auf diese Weise keine wirklichen Talente entdecken.

Bis zur Sui-Zeit bildete sich das kaiserliche Prüfungssystem dann weiter heraus. Alle Bewerber waren ungeachtet ihrer Abstammung gleichberechtigt. Wer bei den Examen ein „ausgezeichnet" bekam, wurde sogleich als Beamter gewählt. Unter Leitung der Zentralregierung wurden die kaiserlichen Examen zur gleichen Zeit im ganzen Land abgehalten. Sie spornten die Studenten zum eifrigen Lernen an. So war dieses Prüfungssystem eine für diese Zeit gute Methode zur Auswahl qualifizierten Personals. Li Shimin, der zweite Kaiser der Tang-Dynastie, soll das System zur Auswahl seiner Regierungsbeamten einmal mit den Worten kommentiert haben: „Die Helden unter dem Himmel gehen in meine Falle." Indessen tauchten im Laufe der Zeit Probleme auf. Eines davon war die nicht gute gesellschaftliche Moral. „Nur Bildung und Gelehrsamkeit zählen, alles andere ist ohne Wert," hieß es. Diese Auffassung degradierte die

Szene einer kaiserlichen Prüfung zur Song-Zeit

Stilgerecht nachgeahmte Opferzeremonie im Konfuziustempel in Qufu, Shandong

Bildung und machte sie zum bloßen Tor in ein Amt.

Anfangs wurden in den kaiserlichen Examen neben den Kenntnissen der konfuzianischen Werke noch Justitzwesen, Mathematik und politische Ereignisse abgefragt. Später konzentrierten sich die Prüfungsfragen nach und nach allein auf Literatur und die orthodoxen Vorstellungen der konfuzianischen Schule. Theoretisch waren die kaiserlichen Examen unparteiisch, doch in Wirklichkeit kamen sie den Angehörigen jener Gesellschaftsschicht entgegen, die eine ausreichende Finanzkraft und Zeit für die Examensvorbereitung hatten.

In verschiedenen Dynastien verfaßten Literaten und Gelehrte Kommentare zu den konfuzianischen Werken, und die Regierung jeder Dynastie wählte Kommentare aus und ließ sie veröffentlichen. In den kaiserlichen Examen mußten die Bewerber jede Prüfungsfrage streng danach beantworten. Man durfte keiner anderen Meinung sein. In der Ming- und der Qing-Dynastie wurde dieses Prüfungssystem besonders schlimm, als der „Achtgliedrige Aufsatz" aufkam. Dies war eine streng in acht Teile gegliederte Form der Erläuterung der konfuzianischen Werke mit einer vorgeschriebenen Anzahl von Wörtern, die auf bestimmte Weise angeordnet zu sein hatten. Dieser Aufsatz war für das Bestehen der Prüfung entscheidend. 1905 wurde das kaiserliche Prüfungssystem schließlich aufgegeben.

Der Kulturkreis der konfuzianischen Lehre

Der Konfuzianismus verbreitete sich auch in Korea, Japan und Vietnam und übte einen großen Einfluß auf das Gesellschaftsleben und Bildungswesen sowie auf die Politik und Moralität in diesen Ländern aus. Zusammen mit China bildeten sie den Kulturkreis des Konfuzianismus.

Im 3. Jahrhundert v. Chr. kamen die konfuzianische Lehre und Schriftzeichen der chinesischen Sprache nach Korea. Zu Beginn unserer Zeitrechnung war der Konfuzianismus die dominierende Ideologie Koreas geworden. Entsprechend dem Staatssystem des Tang-Reiches errichteten die Koreaner ihre eigenen Staatsorgane.

Ein konfuzianischer Tempel in Japan, erbaut im Jahre 1893

Zahlreiche koreanische Studenten studierten während der Tang-Dynastie in China die konfuzianische Lehre, um nach ihrer Rückkehr nach Korea in Schulen Lehrgänge in Konfuzianismus abzuhalten. Außerdem wählten die Koreaner nach dem kaiserlichen Prüfungssystem Chinas Regierungsbeamte aus. Sie schätzten die Pietät der Chinesen, und wer den Eltern und Alten gegenüber nicht gehorsam war, wurde bestraft.

Im 3. Jahrhundert n. Chr. entstanden in Japan Sondergruppen für das Studium der konfuzianischen Werke, die Mitgliedern der königlichen Familie, Ministern und anderen hohen Beamten die konfuzianische Lehre beibrachten. Ab dem 6. Jahrhundert verbreitete sich die chinesische Zivilisation in großem Maßstab in Japan. Japanische Gelehrte, Diplomaten und Mönche brachten nach ihrem Studium in China neue Ideen, Lebensweise und religiöse Ansichten nach Japan. Die chinesischen Schriftzeichen nutzend, entwickelten die Japaner ihre eigene Schrift und übernahmen vieles vom Konfuzianismus und vom chinesischen Buddhismus. Im 7. Jahrhundert errichteten sie nach der Form der Staatsmacht des Tang-Reiches ihren zentralistischen Staat. Noch heute kann man in japanischen Schriftzeichen und in Tempeln Spuren der traditionellen chinesischen Kultur finden.

Mit der Entwicklung des Kapitalismus sowie der wissenschaftlichen und demokratischen Ideologie der Neuzeit hat sich die konfuzianische Lehre als ideologisches System überlebt. Doch verschiedene Denkweisen und Moralbegriffe, die der Konfuzianismus förderte, sind bis heute noch von allgemeiner Bedeutung. Dazu zählen der Respekt vor dem Alter, das Streben nach einem harmonischen Familienleben, das Hintanstellen persönlicher Interessen gegenüber jenen des Kollektivs usw.

Literatur und Kunst

Die Gedichte

Die Literatur und Kunst verkörpern den Geist einer Nation. Die chinesische Literatur und Kunst haben eine 3000-jährige Entwicklungsgeschichte. Ungeachtet der Dynastienwechsel entwickelten sie sich ständig weiter. Fast in jeder Dynastie gab es eine repräsentative Literatur- und Kunstform, wie z. B. die Gedichte der Tang-Dynastie, das *Ci* der Song-Dynastie (eine Dichtung nach vorgegebenen Melodien und mit ungleichmäßigen Verszeilen), das *Qu* der Yuan-Dynastie (eine Art von liedhaften Gedichten mit unregelmäßig gereimten Versen) sowie die Romane der Ming- und der Qing-Dynastie.

Das Gedicht ist eine Literaturform, die in China am frühesten auftrat. Das *Buch der Lieder* war die erste Sammlung chinesischer Gedichte. Seine Gedichte stammen aus der Zeit vor und nach der Westlichen Zhou-Dynastie und der Frühlings- und Herbstperiode im 11. Jahrhundert bis zum 6. Jahrhundert v. Chr. Das *Buch der Lieder* besteht aus drei Teilen. Der erste Teil, *Lieder der Staaten*, umfaßt 160 Volkslieder der 15 Fürstentümer des Staates Zhou. Der zweite Teil besteht aus den *Großen Liedern* und *Kleinen Liedern,* insgesamt 105 Gedichte und Elogen sowie religiöse Loblieder. Der dritte Teil hat 40 Gedichte. Bald danach, um die Mitte der Zeit der Streitenden

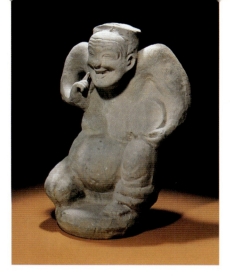

Tonfigur aus der Han-Zeit

Reiche, kam im Staat Chu eine neue Gedichtform auf. Es erschienen die *Lieder von Chu*, eine Sammlung von Gedichten und Liedern im Dialekt dieses Staates mit starkem Regionalcharakter und in einem besonderen Stil. Qu Yuan (ca. 340—278 v. Chr.) war der berühmteste Vertreter dieser Literaturform. Er stammte aus dem Staat Chu zur Zeit der Streitenden Reiche und war der erste große Dichter der chinesischen Literaturgeschichte. Als Sohn einer aristokratischen Familie genoß er eine gute Ausbildung und entwickelte bald weitreichende politische Ambitionen. Schon als junger Mann wurde er Minister des Staates Chu. Er setzte sich für die Ernennung tugendhafter und fähiger Männer als Beamte und für die Ausarbeitung von Gesetzen zur Stärkung des Staates ein. In der Außenpolitik erschien ihm ein Militärbündnis mit dem Staat Qi gegen den Staat Qin wichtig zu sein. Der König jedoch mißtraute ihm bald und verbannte ihn aus der Hauptstadt. Kurz darauf wurde der Staat Chu infolge von Korruption und Unfähigkeit sowie mehreren militärischen Niederlagen immer schwächer. Qu Yuan hoffte vergeblich, das Vertrauen des Königs und eine Position der Verantwortung wiederzugewinnen. Als er sein Leid und seinen Ärger in Gedichtform zu Papier brachte, entstand das hervorragende Werk *Li Sao*. Der Titel bedeutet soviel wie „Kummer und Leid".

Illustration zum Theaterstück „Das Westzimmer". Dargestellt ist, wie die Hauptfigur Cui Yingying den Brief ihres Geliebten liest.

Li Sao und *Lieder der Staaten* sind glänzende Werke der realistischen und romantischen Literatur Chinas.

Die Tang-Dynastie war eine Blütezeit in der Entwicklungsgeschichte der Poesie Chinas. Damals wurden überall am Kaiserhof, in den Residenzen hoher Beamter sowie in Teehäusern, Geschäften, Freudenhäusern und auf den Märkten Gedichte rezitiert. „Dichter treten in großer Zahl hervor, und die Gedichte sind so zahlreich wie Bäume in den Wäldern", so beschrieb man das Aufblühen der Dichtkunst in dieser Dynastie. In den Kaiserlichen Examen wurde ein Bewerber, selbst wenn er bei den klassischen Werken keine gute Leistung erbrachte, aber bei der Abfassung von Gedichten Talent bewies, gewöhnlich aufgenommen. *Die Gesamte Sammlung von Tang-Gedichten (*Anthologie „Quan Tang Shi"), Anfang der Qing-Dynastie herausgegeben, umfaßt rund 49 000 Gedichte von mehr als 2800 Dichtern, von denen Li Bai und Du Fu am bekanntesten sind. Li Bai (701—762) gilt als ein Meister der Romantik, während Du Fu (712—770) Maßstäbe als Dichter des Realismus setzte.

Das chinesische *Ci* ist eine vertonte Poesie mit Versen verschiedener Länge. Zu einer unabhängigen poetischen Form entwickelte es sich in der mittleren und späteren Tang-Zeit. Charakteristisch für diese Literaturform sind die strenge Form der Reime und der Versstruktur sowie der Töne. Das *Ci* gelangte unter der Song-Dynastie zu voller Blüte.

Die Song-*Ci*-Verfasser können in zwei Gruppen eingeteilt werden. Die Werke der einen zeichnen sich durch ihre Vitalität aus, die der anderen durch ihre Grazie. Die Hauptvertreter der ersten Gruppe waren Su Shi aus der Nördlichen Song- und Xin Qiji aus der Südlichen Song-Dynastie. Sie wurden als „*Ci*-Dichter der Unerschrockenheit und Ungezwungenheit" bezeichnet. Su Shi war außerordentlich belesen und beherrschte viele literarischen Gattungen, doch sein Verdienst bei der Entwicklung des *Ci* war besonders groß. Er erweiterte den Themenkreis des *Ci*, indem er Landschaftsbeschreibungen und historische Stätten miteinbaute. Su Shis *Ci* geben die Facetten des gesellschaftlichen Lebens wider. Die berümten *Ci*-Dichter der anderen Gruppe waren Li Qingzhao und Liu Yong. Ihre Werke beschreiben in der Hauptsache die Gefühle der Liebe und den Schmerz der Trennung. Ihre Stilform ist fein und anmutig.

Das Song-*Ci* und die Tang-Gedichte waren zwei wichtige literarische Gattungen. Nicht wenige Leute sind heute noch davon überzeugt, dass das Rezitieren und auswendige Vortragen solcher Gedichte den Geist schule.

Die traditionelle chinesiche Vorstellung war, dass nur Gedichte und die Prosa wahre Literatur seien, der Roman hingegen „Klatsch und Tratsch". Auch Opern seien für feine Gesellschaften nicht geeignet. So erschienen Romane und Opern in China erst relativ spät. Ers zwischen dem 14. und dem 18. Jahrhundert erlebten sie einen großen Aufschwung. Als Meisterwerke gelten die vier klassischen Romane *Geschichte der Drei Reiche* (Luo Guanzhong, ca. 1330—1400), *Die Räuber vom Liangshan-Moor* (Shi Naian, Ende der Yuan- und Beginn der Ming-Dynastie), *Die Pilgerfahrt nach dem Westen* (Wu Cheng'en, ca. 1500—1582) und *Der Traum der Roten Kammer* (Cao Xueqin, ca. 1715—1764).

Das Bild „Daguanyuan" („Garten der Großen Aussicht"), in der Qing-Dynastie nach dem Roman „Der Traum der Roten Kammer" gemalt, illustriert den Lebensstil der in dem Roman geschilderten Familie Jia.

Die „Szene des Dichtens der Göttin des Flusses Luoshui" von Gu Kaizhi (1470—1523) (Ausschnitt aus einer Bildrolle)

Die darstellende Kunst

In der Geschichte übte die chinesische Kultur einen großen Einfluß auf das japanische Gesellschaftsleben aus. Es gibt daher eine Art japanischer Graphik, die sich aus der volkstümlichen Graphik Chinas entwickelt hatte. Daneben gibt es keine malerische Schule in der Welt, deren Stil der der chinesischen Malerei ähnelt.

Bei der chinesischen Malerei und Kalligraphie werden Pinsel und Tusche benutzt. Man führt den Pinsel mal leicht und mal kräftig, mal schnell und mal langsam, und bringt damit unterschiedliche Eigenschaften wie kraftvoll, sanft, ordentlich und natürlich zum Ausdruck.

Viele der ausgezeichneten Maler in der chinesischen Geschichte waren Gelehrte und Beamte. Sie waren vielseitig künstlerisch begabt und mit Zither, Schach und Kalligraphie vertraut. Etwa von der Song-Dynastie an begannen Gelehrte und Beamte mit dem Malen. Während der Yuan-Dynastie dominierten sie bereits die Kunstszene. Die Meisten von ihnen malten Bilder mit dem Ziel, sich die Zeit zu vertreiben und sich zu vergnügen. Sie verwendeten keine kräftigen Farben, sondern nur Tusche oder helle Farben. Ihre bevorzugten Motive waren Berge und Wasser, Blumen, Vögel, Fische und Insekten. Der Malstil dieser „Malerei der Literaten" übte einen großen Einfluß auf die späteren Generationen aus.

Die chinesische Feinzeichnung ist eine Malerei mit starken Farben. Zuerst werden durch Striche die Umrisse skizziert und dann sogfältig die Details ausgeführt. Zum Schluß trägt der Maler prächtige und starke Farben auf. Während der Song-Dynastie waren am Kaiserhof solche Malereien sehr beliebt. Damals wurde die kaiserliche Malakademie gegründet, um mehr Maler heranzubilden.

Die klassische chinesischen Malerei widmete sich neben der Darstellung menschlicher Figuren vor allem der Landschaftsmalerei und der Blumen- und Vogelmalerei. In einer langen Zeit waren religiöse Legenden und historische Persönlichkeiten die Hauptmotive der Bilder mit menschlichen Figuren. Die dargestellten Gottheiten und Menschen wirken sehr verschlossen und vornehm, was der konfuzianischen Idee entspricht. Seit dem 11. Jahrhundert durchbrachen die Maler mehr und mehr die Beschränkung auf Religion und Adlige und stellten das Leben auf dem Land und auf den Marktplätzen dar.

Ende des 13. Jahrhunderts trat die Darstellung menschlicher Figuren in den Hintergrund, die besondere Vorliebe galt nun der Landschaftsmalerei und der sogenannten Blumen- und Vogelmalerei, wobei die Motive auch Bambusse, Steine, Fische, Insekten und andere Tiere umfaßten. Zwei Stilarten bildeten sich heraus. Die eine war von dem Bemühen um absolute

„Einsame Wildente im Abendrot" (Rollbild, Tuschzeichnung), gemalt von Tang Yin (1470-1523)

Naturtreue geprägt, die andere legte das Gewicht auf die Komposition des Bildes. Beide Malstile wurden von jenen Künstlern gepflegt, die für den Kaiserhof arbeiteten.

Von den chinesischen Malereien ist die Landschaftsmalerei zweifellos die wichtigste. Im 11. Jahrhundert stellte man den Grundsatz „Die Malerei im Gedicht, das Gedicht in der Malerei" auf, an den sich die meisten Maler der späteren Dynastien hielten. Nach diesem Grundsatz strebten sie vor allem danach, ihren Werken Aussagekraft und Ideengehalt zu geben. Mit Vorliebe wurden steile Berge und tiefe Schluchten dargestellt, Wald und Wasser bilden den Vordergrund, und oft sieht man auf solchen Bildern zwei Personen wie Fischer oder weltentrückte Eremiten. In ein solches Bild sich als Betrachter hineindenken, kann man seiner Phantasie freien Lauf lassen.

Die chinesische Malerei, insbesondere die Figurenmalerei, stellt die Objekte meist mittels weniger Striche dar. Es geht ihr weniger um eine realistische Darstellung wie der westlichen Malerei, sondern um den Ausdruck von Gefühlen. Dasselbe gilt für die chinesischen Blumen- und Vogelmalereien. Nicht eine einfache Kopie der Pflanzen und Tiere wird angestrebt, sondern das Vermitteln von Empfindungen. Winterkirschen, Orchideen und Chrysanthemen sowie Bambusse gelten zum Beispiel als Symbole für Treue und Unbeugsamkeit sowie Vornehmheit und Unbestechlichkeit. Diese vier Pflanzen werden in China seit jeher als „Vier Männer von edlem Charakter" bezeichnet. Die chinesischen Literatenmaler malten diese vier Pflanzen mit menschlichem Charakter mit dem Ziel, edle Gesinnung auszudrücken. Ohne diese Besonderheit zu kennen ist es nicht leicht, die chinesischen Malereien zu verstehen.

„Zeichnung von seltenen Vögeln", gemalt von Huang Quan in der Zeit der Fünf Dynastien, (Bildrolle)

Unterschiede zwischen der traditionellen chinesischen Malerei und der westlichen Malerei gibt es auch in der Behandlung der Perspektive. Während westliche Maler den Raum einengen, zeigen chinesische Maler lieber den grenzlosen Raum der Natur. Die chinesichen Maler legen ferner großen Wert auf freie Flächen in einem Bild. Das Bild „Angelszene am Fluß Hanjiang" von Ma Yuan aus der Südlichen Song-Dynastie ist ein typisches Beispiel dafür. Man sieht nur ein kleines Boot, in dem ein alter Mann sitzt, der angelt. Sonst ist alles freie Fläche, die aber in Wirklichkeit ein Bestandteil der Malerei ist. In den Augen der chinesischen Maler und Betrachter ist diese freie Fläche „Malerei in der Malerei" oder „Malerei außerhalb der Malerei". Oft malte Ma Yuan ein Bild nur halb oder auch nur eine Ecke des Bildes. Die anderen Teile soll der Betrachter in Gedanken ergänzen.

Die chinesische Malerei ist die Kunst von Gelehrten, ein

chinesisches Bild ist ein Gesamtkunstwerk. Es verbindet das Gedicht, die Kalligraphie und die Malerei. Daher sind häufig auf chinesischen Malereien Gedichte, Kalligraphien und Siegel zu sehen. Das Gedicht bringt meist die Empfindungen des Malers zum Ausdruck, die Kalligraphie unterstreicht die Maltechnik, und der Stempel enthält in kunstfertiger Siegelschnitzerei den Namen des Künstlers. Daneben spielen die Widmung und die Malstruktur eine große Rolle. Die Widmung ist ebenfalls eine der Kunstformen, die ein chinesischer Maler berherrschen muß. Eine gute Widmung verschönert das Gemälde. Im allgemeinen schreibt man auf sein Gemälde den eigenen Namen und den Namen des Abnehmers.

Die traditionelle chinesische Oper

Die chinesische Oper ist eigentlich das traditionelle chinesische Theater. Sie hat eine Geschichte von rund 800 Jahren und entwickelte sich aus der Musik und dem Tanz alter Zeit sowie Aufführungen von Komikern zur Zeit der Frühlings- und Herbstperiode. Diese Schauspieler und Schauspielerinnen verschiedener Fürstentümer traten vor ihren Landesherren, Adligen und hohen Beamten auf. Eine weitere Quelle der chinesischen Oper ist die Unterhaltungskunst der Tang-Dynastie. Damals pflegten Mönche die aus Scherzgeschichten und Bänkelliedern bestehende volkstümliche Unterhaltungskunst zur Verbreitung der buddhistischen Lehre zn benutzen. In der Nördlichen Song-Zeit erlebten das Handwerk und der Handel einen großen Aufschwung. In Geschäftsstraßen und auf Märkten entstanden viele feste Vergnügungsstätten namens Washe. Das ganze Jahr hindurch

 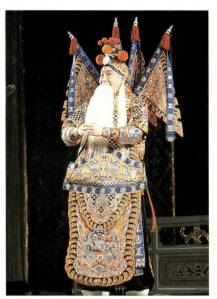

Die Opernrolle *Hua-dan* (kühne, entschlossene, lebhafte junge Frau).

Die Opernrolle *Lao-sheng* (willensstarker, ehrlicher älterer Mann mit Bart).

gab es auf diesen öffentlichen Plätzen verschiedenartige Vorführungen wie Musik, Gesang, Tanz, Akrobatik, Zauberkunst und Komik. Anfang des 12. Jahrhunderts verschmolzen diese Darstellungskünste zu einer Form von Theater, und so bildete sich die traditionelle chinesische Oper heraus. Sie hat Gesang, Spiel, Rezitation, Akrobatik und *Wushu* in sich aufgenommen.

Die Yuan- und Ming-Zeit waren die Blütezeit der chinesischen Oper. Damals belebten zahlreiche volkstümliche Ensembles die Kultur- und Freizeitangebote der städtischen und ländlichen Bevölkerung. Der Kaiserhof, hohe Beamte und Adlige unterhielten private Theatergruppen. Mit der Entwicklung der Oper trat eine Reihe von berühmten Dramatikern in Erscheinung. Unter ihnen waren Guan Hanqing,

Die Opernrolle *Chou* (Possenreißer). Die Darsteller haben die Aufgabe, das Publikum zum Lachen zu bringen.

Wang Shifu und Tang Xianzu am bekanntesten. Guan Hanqing (ca. 1213—1297) schrieb mehr als 60 Dramen, von denen *Schnee im Hochsommer* und *Unrechtmäßigkeit der Witwe Dou'e* die bekanntesten sind. Wang Shifu, ein Zeitgenosse von Guan Hanqing, schrieb u. a. das Stück *Das Westzimmer*, das als sein Meisterwerk gilt. Es geht darin um Liebe und Trennung, Freude und Leid. Tang Xianzu (1550—1616) war einer der besten Dramatiker Chinas. Sein Stück *Päonienpavillon* beschreibt die Geschichte einer jungen Frau namens Du Liniang, die, gefesselt durch die feudale Ethik, einen entschlossenen Kampf um Liebe und Glück führt.

China ist ein Nationalitätenstaat mit vielen Sprachen, Gebräuchen, Volksliedern und musikalischen Traditionen der verschiedenen Gebiete. Aus diesem Grund gibt es mannigfaltige lokale Opern, die alle ihre besonderen Eigenarten haben. Im späten 17. Jahrhundert haben sich diese verschiedenen lokalen Opern herausgebildet. Heute gibt es in China mehr als 300

Opernarten. Zu den landesweit bekannten Opernformen gehören die Bangzi-Oper der Provinz Hebei, Huangmei-Oper (hauptsächlich in Anhui und Hubei), Qingqiang-Oper (Shaanxi-Oper) sowie die Zhejiang-Oper und die Yuju-Oper (Henan-Oper). Die lokalen Opern basieren alle auf der Musik und den Dialekten in ihren Gebieten. Nur die Peking-Oper ist eine Art National-Oper. 1790 wurde die Anhui-Oper in Beijing eingeführt. Daraus entwickelte sich allmählich die Peking-Oper. Seit Mitte des 19. Jahrhunderts gibt es sie in der gegenwärtigen Form. Die Peking-Oper hat die meisten Anhänger in China. Daher wird sie als die „National-Oper" bezeichnet.

Kennzeichnend für alle traditionellen chinesischen Opern sind die stilisierten Bewegungen, die festgelegte Bedeutungen haben. Ein Peitschenhieb bedeutet „das Pferd antreiben", das Ruderschwenken bedeutet „im Boot fahren". Einige wenige Schauspieler können ein gewaltiges Heer imitieren. Ein Fenster aufstoßen, ein Pferd besteigen und an Bord gehen, alles hat

Die Opernrolle *Jing* (Mann mit bemaltem Gesicht). Die Darsteller verkörpern Helden und andere beherzte Männer.

seine festen Bewegungen. Desgleichen haben die Rollentypen, die Musik, die Gesangsmelodien und die Gesichtsmasken ihre eigenen Bedeutungen. Das Rot, Schwarz und Weiß der Gesichtsmasken der Schauspieler symbolisieren jeweils Treue und Tapferkeit, Offenherzigkeit sowie Tücke und Heuchelei.

Gesang, Tanz und Akrobatik

Ursprünglich waren die Musik, der Tanz und das Gedicht in China eine einheitliche Kunstform. Später entwickelte sich das Gedicht zu einer unabhängigen Literaturform.

Die chinesische Musik- und Tanzkultur hat eine lange Geschichte. Historische Zeugnisse beweisen, daß bereits während der Shang- und der Zhou-Dynastie die Musik- und Tanzkultur gut entwickelt war. Damals führte man in großem Stil bei Opferzeremonien oder anderen Feierlichkeiten instrumentale Musik und Tänze auf. In verschiedenen Fürstentümern der Zhou-Dynastie gab es bezüglich der Musik und des Tanzes, der Anzahl der Musiker und der Tänzer und Tänzerinnen sowie der Arten der Instrumente genaue Bestimmungen.

In alter Zeit nahmen die Palastmusik und der Palasttanz lange

Bronze-Glockenspiel, gefunden im Grab des
Marquis Zeng im Kreis Suixian, Hubei

„Szene des *Qin*-Hörens" (Rollbild), gemalt vom Song-Kaiser Huizong. Der Spieler ist der Kaiser selbst, dem zwei seiner Minister zuhören.

eine dominierende Stellung ein. Während der Han- und der Tang-Dynastie erlebten die Musik und der Tanz mit der Entwicklung der Wirtschaft, des Handels und des Kulturaustauschs mit dem Ausland einen großen Aufschwung. Damals wurde ein Sonderorgan eingerichtet, das zuständig für Musik und Tanz sowie die Ausbildung der Musiker, Tänzer und Sänger war. Der Tang-Kaiser Xuanzong (Regierungsperiode: 712—756) komponierte selbst und schrieb zu Melodien Gedichte. Er gab persönlich Musikern, Sängern und Sängerinnen sowie Tänzern und Tänzerinnen am Kaiserhof Unterricht. Es gab eine Kaiserliche Lehranstalt, das erste Institut für Musik und Tanz in China. Musik und Tanz aus dieser

Zeit übten einen großen Einfluß auf spätere Generationen aus. Liedtexte der Tang-Zeit entwickelten sich zu einer wichtigen literarischen Form der Song-Dynastie.

Nach dem 13. Jahrhundert nahm allmählich die Oper eine dominierende Stellung im Kulturleben der Bevölkerung ein. Da waren Musik und Tanz bereits untrennbare Bestandteile der Oper geworden.

Während der Westlichen Zhou-Dynastie gab es rund 70 Instrumente u. a. aus Bronze, Stein, Holz und Bambus. Bei der Freilegung eines 2300 Jahre alten Grabes im Kreis Suixian, Provinz Hubei, wurde ein bronzenes Glockenspiel, bestehend aus 65 Glocken verschiedener Größe und Klangfarbe, gefunden. Jede Glocke konnte zwei Töne zu drei Intervallen geben, zusammen umfaßten sie eine Tonskala von fünf Oktaven mit über 90 Tönen. Das ist ein überzeugender Beweis für das erstaunliche Niveau, das die chinesische Musik und die Herstellung von Musikinstrumenten damals bereits erreicht hatte. Ferner wurden 27 Musikinstrumente einschließlich Trommel, *Se* (eine Art Zither mit 25 Saiten), *Qin* (ein weitere Art der Zither ähnliches Zupfinstrument mit sieben Saiten), *Paixiao* (Panpfeife mit 16 Röhren) und *Sheng* (eine Art Mundorgel) freigelegt.

Die Musikinstrumente Chinas umfassen Blasinstrumente,

Musiker (Tonfiguren)

Akrobaten und Tänzer unterhalten eine Gruppe von Höflingen.
(Bemalte Tonfiguren aus der Westlichen Han-Zeit)

Saiteninstrumente und Schlaginstrumente. Die repräsentativen Instrumente der erst- und zweitgenannten Typen sind *Zheng* (zitherähnliches mehrsaitiges Instrument), *Pipa* (eine Laute), *Sheng* (eine Art Mundorgel), *Erhu* (zweisaitige chinesische Geige) und *Dizi* (Querflöte), die vor allem in Südchina populär sind. An Schlaginstrumenten gibt es mehrere Arten, die vorwiegend in Nordchina verbreitet sind, vor allem die Trommel und der Gong.

In alter Zeit gab es im Volk nicht allzuviele Einschränkungen und Verbote, darum entwickelten sich der Volksgesang und Volkstanz schneller als der Plastgesang und –tanz. Der schwungvolle Volksgesang und der lebhafte, freie Volkstanz waren besonders in ländlichen Gebieten weit verbreitet. An Feiertagen wurden auch in den Städten Gesang- und Tanzveranstaltungen geboten. Die alten chinesischen Tänze waren eine komplexe Kunst. Ein typisches Beispiel dafür ist

Musizierende Damen (Wandgemälde in den Mogao-Grotten bei Dunhuang aus der Tang-Zeit). Die Musikerin in der Mitte kann hinter ihrem Rücken *Pipa* spielen.

der „Löwentanz", der geschickte Bewegungen der Akrobatik und der Kampfkunst erfordert. Er wird im allgemeinen von Berufsspielern aufgeführt. In den von den Han, Chinas größter Volksgruppe, bewohnten Gebieten sind hauptsächlich der Yanggetanz und der Drachentanz üblich. Fast alle Angehörigen der nationalen Minderheiten sind gute Sänger und Tänzer. Die Bewegungen bei den Tänzen der Tibeter und der Mongolen sind kräftig und von einem schnellen Rhythmus. Andere Tänze der nationalen Minderheiten sind voller Anmut, wieder andere lustig und lebhaft.

Nach historischen Aufzeichnungen gab es schon in der Zhou-Dynastie Aufführungen von Akrobaten. In der Han-Dynastie erreichte die Akrobatik ein sehr hohes Niveau. Ziegel-Basreliefs von Akrobaten, Sängern, Tänzern, Zauberern und Komikern aus Gräbern der Han-Dynastie während des 2. bis 1. Jahrhunderts

v. Chr. zeigen eine Vielzahl von Bewegungen. Ferner fand man Ziegelbasreliefs, die akrobatische Aufführungen wie Balancieren von Bambusstangen, Kletterübungen an Stangen, Seiltanz und Schlüpfen durch den Ring darstellen. Während der Zeit der Drei Reiche wurde ein Spielzeug namens „Shui Zhuan Bai Xi" (Wasser-Treiben-Hundert-Spiele) erfunden, das die Akrobatikkunst zeigt. Von einem Zahnradantriebwerk wurden verschiedene Figuren wie Tänzerinnen und Sängerinnen, Trommelschläger, Bläser, Schwertspieler, Seiltänzer usw. bewegt. Nach einer schriftlichen Aufzeichnung des Professors Joseph Needham soll der Erfinder des Fallschirms alle Requisiten zu Schutz der chinesischen Seiltänzer gewissenhaft studiert haben, bevor er den Fallschirm erfand. Bis heute nutzen die chinesischen Seiltänzer diese Requisiten.

Religion

Koexistenz verschiedener Religionen

In China sind außer dem aus China stammenden Taoismus der Buddhismus, der Islam und das Christentum verbreitet. Die konfuzianische Lehre, die in China seit langem eine dominierende Stellung einnimmt, heißt Konfuzianismus. Doch strenggenommen ist sie keine Religion.

In China koexistieren verschiedene Religionen. Der Buddhismus, der Taoismus und der Konfuzianismus wurden als die „Drei Religionen" bezeichnet. Sie durchdringen einander. Jeder Bürger hat die Freiheit, sich zum Buddhismus, zum Taoismus oder zum Konfuzianismus oder zu einer der beiden anderen Religionen zu

Wandgemälde in den Mogao-Grotten bei Dunhuang in Gansu

„Bildnisse von Unsterblichen" aus der Qing-Zeit (Ausschnitt). Unter ihnen gibt es sowohl Weise der konfuzianischen Schule als auch Gottheiten des Buddhismus und Taoismus.

bekennen. Die Chinesen verehren die Begründer des Buddhismus, Taoismus und Konfuzianismus als Heilige. Auf der Darstellung „San Jie Zhu Shen Tu" („Zeichnung über verschiedene Götter der drei Welten") kann man erkennen, daß Lao Tse, der Begründer des Taoismus, Schakjamuni, der Begründer des Buddhismus, und Konfuzius, der Begründer des Konfuzianismus, Seite an Seite zu sehen sind. Sie haben den gleichen Status, ein Symbol für die Gleichberechtigung der verschiedenen Religionen. So leben die Mitglieder unterschiedlicher Glaubensgruppen friedlich miteinander.

Dass Glaubensvorstellungen aus dem Ausland in Gänze übernommen werden wie in China ist selten, entspricht aber dem Geist der chinesischen Kultur. Selbstverständlich müssen die Religionen und ihre Aktivitäten den öffentlichen Sitten und Gebräuchen Chinas entsprechen. Sie dürfen der Macht des Staates nicht entgegenstehen. Doch selbst wenn dies der Fall war, erwiesen sich die Kaiser der verschiedenen Dynastien zumeist als großzügig. Von alters her ist Glaubensfreiheit eine Tradition der chinesischen Kultur.

Der Buddhismus

Der Buddhismus entstand in Indien. Stifter dieser Religion war Schakjamuni (ca. 565—486 v. Chr.), der von seinen Anhängern Buddha genannt wurde. Etwa im ersten Jahrhundert wurde der Buddhismus in die Siedlungsgebiete der Han-Nationalität nach China gebracht. Vom 3. Jahrhundert an begann er sich immer weiter zu verbreiten. Ab dem 6. Jahrhundert erlebte er eine Blütezeit. Damals übte Xuan Xue (Metaphysik) einen großen Einfluß auf Gelehrte und Beamte aus. Ideologisch gesehen hatten Buddhismus und Xuan Xue einige Gemeinsamkeiten. Mit zunehmendem Einfluß des Buddhismus vermehrte sich die Zahl seiner Anhänger. Während der Südlichen und Nördlichen Dynastien unterstützten die Herrscher den Buddhismus, indem sie den Bau von Klöstern und Grotten förderten und buddhistische Schriften übersetzen ließen. Schnell verbreitete sich der Buddhismus im ganzen Land. Die Zeit kannte zahlreiche berühmte Gelehrte und Mönche, die die buddhistischen Sutren studierten.

Während der Sui- und der Tang-Dynastie erlebte der Buddhismus noch einmal eine Blütezeit. Nicht nur achtete die Regierung die Glaubensfreiheit, sondern unterstützte sie sogar soweit, dass Expeditionen in den Westen stattfanden, um buddhistische Schriften zu suchen. Der bekannte Mönch Xuan Zang (602—664) aus der Tang-Dynastie reiste nach Indien. Nach mehr als zehn Jahren kehrte er nach Chang'an (heute Xi'an) zurück, wo er mehr als 650 Bände buddhistische Sutren, die er aus Indien mitgebracht hatte, ins Chinesische übersetzte. Später gründete er die Faxiang (Dharmalaksana)-Sekte. Seine *Berichte über die Westlichen Regionen der Großen Tang* waren wichtige Unterlagen für das Studium der antiken Geschichte und Geographie Indiens, Nepals, Pakistans und

Der Manjusri-Bodhisattwa, eine Statue aus der Song-Dynastie in den Dazu-Grotten, Sichuan

Buddha-Statue in einer Höhle der Meijishan-Grotten in Gansu aus der Tang-Zeit

Zentralasiens. Im Volk wurde die Reisegeschichte Xuan Zangs weit verbreitet und ausgeschmückt. Der klassische chinesische Roman *Die Pilgerfahrt nach dem Westen* ist die mythologische Fassung seiner Pilgerreise nach Indien.

In China vermischte sich der Buddhismus im Laufe seiner langen Entwicklung mit dem Gedankengut des Konfuzianismus, faßte allmählich Fuß in der chinesischen Feudalgesellschaft und wurde ein Bestandteil von derem Überbau. Nach und nach bildeten sich viele für den Buddhismus in China typische spezielle Richtungen heraus. Bekannte Sekten waren beispielsweise die Tiantai-Sekte, die Faxiang(Dharmalaksana)-Sekte und der Zen-Buddhismus (Meditations-Buddhismus). Später entwickelte sich der Zen-Buddhismus zur einflußreichsten Sekte.

Auch unter den nationalen Minderheiten Chinas ist der Buddhismus verbreitet. Anhänger des Lamaismus, eines Zweigs des Buddhismus in China, finden sich vor allem unter den Tibetern. Im

7. Jahrhundert verbreitete sich der Buddhismus, aus Zentralchina und Nepal kommend, in der damaligen Tubo-Dynastie auf dem Gebiet des heutigen Tibet, wo er zuerst beim Adel und später im ganzen Volk seine Anhänger fand. Er vermischte sich mit der ursprünglichen tibetischen Religion, der Bon-Religion. So entstand die tibetische Form des Buddhismus, der Lamaismus, der dem Mahayana-Buddhismus (Großes Fahrzeug) zuzurechnen ist.

Anfang der Yuan-Dynastie verlieh Kublai Khan (1215—1294) Pagpa den Titel „Kaiserlicher Lehrmeister". Auf Pagpas Vorschlag ernannte er einen Beamten für die Verwaltungsangelegenheiten Tibets. So entstand in Tibet ein Verwaltungssystem, in dem religiöse und politische Herrschaft sich miteinander verbanden. Nach dem 15. Jahrhundert gründete der Reformator Tsongkhapa (1357—1419) die Gelbe Sekte (Gelugpa-Sekte), die später die mächtigste und einflußreichste Sekte des tibetischen Buddhismus wurde. Heute hat der tibetische Buddhismus nicht nur in Tibet Anhänger, sondern auch in der Inneren Mongolei, in Qinghai, Sichuan, Xinjiang und Gansu. Nicht nur Tibeter, sondern auch Mongolen und Angehörige der

Der Pavillon für die Aufbewahrung der buddhistischen Schriften des Guiyuan-Kolsters in Wuhan, Hubei

Tsongkhapa, der Begründer der Gelben Sekte des tibetischen Buddhsimus

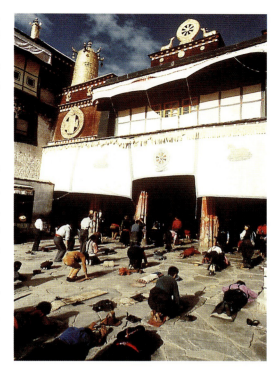

Buddhistische Anhänger vor dem Tor des Jokhang-Klosters in Lhasa, Tibet

Nationalitäten Tu, Yugur, Naxi und Pumi sind Anhänger des Lamaismus.

Der Taoismus

Der Taoismus ist die einheimische Religion Chinas. Er enstand ca. im 2. Jahrhundert, genauer gesagt während der Östlichen Han-Dynastie. Im 7. Jahrhundert kam der Taoismus zur Blüte dadurch, dass der Tang-Kaiser sich als Nachkomme des Begründers des Taoismus Lao-tse (Lao Zi, dessen Nachname Li und persönlicher Name Er war, auch unter dem Namen Lao Tan bekannt) bezeichnete. Der Taoismus entstammt dem Geisterkult und dem Glauben der frühen Chinesen an übernatürliche Wesen.

Im Unterschied zu anderen Religionen wurde der Taoismus nicht von einem allein Stifter begründet. Am Anfang seiner Entstehung gab es einige selbständige Sekten. Sie nahmen alle die philosophischen Ideen der taoistischen Schule in sich auf und machten sie zum Fundament ihres Glaubens. Aber auch Hexerei und der Geisterbeschwörungs- und Unsterblichkeitskult der alten Zeit wurden übernommen. Später übernahm der Taoismus einige Auffassungen der konfuzianischen Schule und des Buddhismus.

Der Taoismus betrachtet Lao-tse als seinen weisen Schöpfer und dessen Werk *Tao-te-king* als seinen Kanon. Taoisten beten zu übernatürlichen Wesen und glauben, dass die Lebensführung, die sie sich auferlegen, ihnen helfen wird, die Unsterblichkeit des Leibes zu erreichen und sich für immer von weltlichen Leiden zu befreien.

Anfangs waren die Sekten des Taoismus eng mit den Bauernaufständen verbunden. Doch nach dem 3. Jahrhundert versuchten die feudalen Herrscher Chinas, den Taoismus für sich selbst auszunutzen, um die Bauern besser kontrollieren zu können und so Bauernaufstände zu verhindern. Da begann der Taoismus im Kielwasser des Kaiserhofs zu schwimmen. Taoistische Anhänger dienten treu dem Kaiserhof und suchten für den Kaiser nach Langlebigkeitsmitteln. Gleichzeitig war im Volk der Glaube an die Wirksamkeit taoistischer Aktivitäten für die Beseitigung von Unheil und Krankheiten sowie für die Erlangung von Glück weit verbreitet. Im Taoismus wurden viele Götter angebetet. Um Regen betete man zum Drachenkönig (dem Regengott der chinesischen Mythologie), zum Vertreiben von Krankheiten zum Medizingott, für eine glückliche Rückkehr vom Fischfang auf dem Meer zur Göttin A-Ma (Göttin Ma Zu), zur Abwehr von Katastrophen zu Guan (der bekannteste General des Staates Shu der Streitenden Reiche wurde später als Gott verehrt) und für die Erlangung von Wohlstand zum Gott des Reichtums. Überall im Land waren taoistische Tempel zu sehen, die unzählige Pilger anzogen. Große taoistische Tempel waren nicht nur Kultstätten, um den Göttern Opfer darzubringen, sondern verfügten auch über ausgedehnten Grundbesitz. Mit der Zeit gingen viele taoistische Tätigkeiten in das Brauchtum der Chinesen über.

In der Qing-Dynastie verfiel der Taoismus allmählich, doch immer noch übt er einen gewissen Einfluß aus.

Der Islam

In der Mitte des 7. Jahrhunderts begann sich der Islam in China zu verbreiten. Während der Song-Dynastie kamen mit der Entwicklung des Handels zwischen China und arabischen Ländern zahlreiche Moslems nach China. Damals wohnten viele Moslems in den Handelsstädten Guangzhou und Quanzhou. Dort bauten sie Moscheen und veranstalteten nach Belieben ihre religiösen Aktivitäten. Nicht wenige von ihnen heirateten chinesische Frauen.

Während der Westfeldzüge Tschingis Khans kamen im 13. Jahrhundert viele aus Zentral- und Westasien rekrutierte Moslems nach China. Der größte Teil von ihnen waren Soldaten, daneben gab es Handwerker. Sie kehrten nicht mehr zurück, sondern ließen sich

Porträts von Gottheiten des Taoismus im Yongle-Palast im Kreis Ruicheng, Shanxi (Wandgemälde)

freiwillig in verschiedenen Landesteilen, insbesondere in von Han und Mongolen bewohnten Gebieten, nieder. Sie heirateten Chinesinnen und hatten Kinder. Obwohl von unterschiedlicher Ethnizität, wurden sie durch die einheitliche Religion am Anfang der Ming-Zeit zu einer neuen Nationalität in China, den Hui.

Während der Tang- und der Song-Dynastie hatten die Moslems ihre autonomen Massenorganisationen und schenkten der Verbreitung des Islam keine große Aufmerksamkeit. Doch in der Yuan-Dynastie hatten Moslems wegen ihrer Verdienste bei der Gründung der Dynastie politische Privilegien. Für die Hui wurde extra eine staatliche Akademie errichtet, und im ganzen Land wurden immer mehr Moscheen gebaut. Dadurch gewann der Islam noch mehr Einfluß in China.

Neben den Hui bekennen sich in China noch die Uiguren, Kasachen, Usbeken, Tadschiken, Tataren, Kirgisen, Sala, Dongxiang und Baoan zum Islam. Heute beträgt die Zahl der Angehörigen dieser zehn Nationalitäten 17 Millionen, und die meisten von ihnen bekennen sich zum Islam.

Das Christentum

Nach historischen Berichten kamen die ersten Nestorianer im 7. Jahrhundert nach China. Damals gab es in der heutigen Provinz Shaanxi eine Gemeinde dieser katholischen Sekte, die in chinesischen Quellen als „Jing-Kirche" bezeichnet wird. Im Gedenksteinmuseum in Xi'an, auch „Stelenwald" genannt, gibt es eine Gedenktafel „Daqin Jingjiao Liuxing Zhongguo Bei" (Stele über den Einzug der Jing-Kirche Daqins in China. Hier bedeutet die Jing-Kirche eine Sekte des Christentums und Daqin das alte Rom). Diese Gedenktafel wurde im Jahre 781 errichtet. Darauf steht zu lesen, wie die Missionare

Moschee in Xinjiang

überall im Tang-Reich zuvorkommend behandelt werden. In der Mitte des 9. Jahrhunderts erließ ein Kaiser der Tang-Dynastie den Befehl, „Buddha zu vernichten". Auch die Jing-Kirche wurde vorübergegend verfolgt, so dass sie aus China fast verschwand. In der Spätzeit des 13. Jahrhunderts verbreitete sich das Christentum erneut in China. Die meisten Anhänger waren Mongolen und Angehörige anderer nationaler Minderheiten, die einen hohen sozialen Status besaßen. Nachdem die Yuan-Dynastie untergegangen war, geriet das Christentum noch einmal in Bedrängnis.

Im 16. Jahrhundert kam das Christentum zum dritten Mal nach China. Damals kamen westliche Missionare mit dem italienischen Jesuiten Matteo Ricci (1552—1610) an der Spitze nach China. Sie machten dem Ming-Kaiser unter anderem eine Uhr mit Glockenspiel zum Geschenk und freundeten sich mit Ministern an. Matteo Ricci begann in China die katholische Lehre zu propagieren und machte

Ein ausländischer christlicher Missionar gegen Ende der Qing-Dynastie in China.

die Chinesen mit westlicher Astronomie und Mathematik und dem westlichen Kalender bekannt. Aufzeichnungen zufolge gab es 1701 in China 300 000 Katholiken. Die traditionelle chinesische Kultur und die chinesischen Sitten und Gebäuche sowie ihre religiöse Vorstellung und der Kanon des Christentums unterscheiden sich sehr stark voneinander. Angesichts dessen versuchten Matteo Ricci und andere Missionare mit allen Mitteln Widersprüche zwischen der Lehre der konfuzianischen Schule und dem Christentum abzuschwächen. Eines dieser Mittel war es, gegen einige Bräuche wie z.B. den Ahnen und dem Himmel zu opfern tolerant zu sein, was dann zu dem heftigen „Ritenstreit" innerhalb des Katholizismus führte. 1705 verbot der Qing-Kaiser den Christentum in China, weil er empört war über den Papst in Rom und die Missionare, die den chinesischen Christen nicht erlaubten, auch Zeremonien zur Verehrung der Vorfahren und des Konfuzius abzuhalten. Die Folge war, daß sich die Zahl der Katholiken in China drastisch verminderte.

Mit dem Opiumkrieg von 1840 erzwangen die westlichen

Großmächte den Zugang zn dem bis dahin den Ausländern verschlossenen Reich der Mitte, und der Protestantismus und seine Vertreter kamen nach China mit. Die chinesische Regierung wurde gezwungen, mit den westlichen Kolonialisten eine Reihe von ungleichen Verträgen abzuschließen. Dadurch erlangten die christlichen Kirchen und ihre Missionare eine stärkere Stellung, die teilweise auch mit rechtlichen Privilegien verbunden war. Demzufolge hatten örtliche Beamte die missionarischen Tätigkeiten der ausländischen Priester zu schützen. Von da an drangen die ausländischen Missionare nach Belieben ins Innere des Landes vor, um Kirchen zu bauen und die christliche Lehre zu verbreiten. Da sie sich manchmal gewaltsam Land aneigneten, in den Ablauf des chinesischen Gerichtswesens eingriffen und Beamte und die Bevölkerung schikanierten, wurden überall in China empörte Protestbewegungen gegen die Konfessionen aus dem Westen ausgelöst.

Anfang des 20. Jahrhunderts veränderten die ausländischen Missionare ihre Taktik, indem sie Krankenhäuser und Schulen errichteten, um die christliche Lehre zu propagieren.

Die führende Rolle des Konfuzianismus

Mehr als 2000 Jahren nahm die konfuzianische Philosophie mit ihren Moralbegriffen in den Köpfen der Chinesen eine dominierende Stellung ein. Sie hat über lange Zeit ihr Leben und Denken bestimmt. Es gibt keine politische Lehre und keine Religion, die die konfuzianische Lehre hätte besiegen können. Seit alters her spielen Religionen im Denken der Chinesen keine alles dominierende Rolle. Daher ist es in China unmöglich, durch eine Religion die Gedanken der Menschen ganz und gar zu kontrollieren.

Die konfuzianische Lebensanschaunung steht der Gesellschaft und ihren Problemen mit einer rationalen Einstellung gegenüber. Es ist ein Charakteristikum der chinesischen Kultur, auf Religionen eher gleichmütig zu reagieren. In Europa hatte der Katholizismus in der Zeit vom 4. bis zum 14. Jahrhundert eine dominante Position. Zwischen den Vertretern der weltlichen und der geistlichen Macht kam es häufig zu prinzipiellen Diffenrenzen. Die Religion bestimmte das Gesetz, die Politik, Philosophie und Ethik. Später kam es sogar zu Religionskriegen. In China gab und gibt es keine Religion, die sich über die Macht des Kaiserhofs und die Staatsmacht stellte bzw. stellt. Es gibt keinen Papst und kein System, die Staatspolitik gemäß göttlichen Gesetzen festzulegen. Ab den Südlichen und Nördlichen Dynastien gab es eine zentrale Sonderorganisation, die für religiöse Angelegenheiten zuständig war. Die Herrscher förderten zwar mal die eine oder die andere Religion, blieben aber unparteiisch, wenn es um

Bemalte Statuen von Schakjamuni und zwei seiner Schüler aus der Zeit der Fünf Dynastien im Zhengguo-Tempel im Kreis Pingyao, Shanxi

Die Guanyin-Bodhisattwa, Göttin der Barmherzigkeit im Buddhismus. *Bild:* Guanyin schenkt einen Sohn. Dies stellt eine Symbiose zwischen dem Buddhismus und dem alten Wunsch in der chinesischen Tradition nach einem männlichen Nachfolger dar.

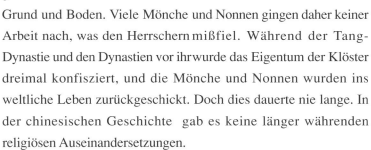

Auseinandersetzungen zwischen den einzelnen Glaubensvorstellungen ging, und spielten manchmal sogar die Rolle des Vermittlers.

Die Förderung des Buddhismus brachte den Klöstern großen Reichtum und sehr viel Grund und Boden. Viele Mönche und Nonnen gingen daher keiner Arbeit nach, was den Herrschern mißfiel. Während der Tang-Dynastie und den Dynastien vor ihr wurde das Eigentum der Klöster dreimal konfisziert, und die Mönche und Nonnen wurden ins weltliche Leben zurückgeschickt. Doch dies dauerte nie lange. In der chinesischen Geschichte gab es keine länger währenden religiösen Auseinandersetzungen.

Der Konfuzianismus richtete sein Augenmerk auf die aktuelle Politik und ein moralisches Leben im Diesseits. Er strebte nicht nach dem Glück im Jenseits, weshalb man sagt, dass es ihm an einer religiösen Vision mangele. Während der Sui- und der Tang-Dynastie erlebten der Buddhismus und der Taoismus ihre Blütezeit. In beiden Religionen geht es um die Loslösung von irdischen Bindungen, so dass der Konfuzianismus in Bezug auf die gesellschaftlichen Aspekte des Lebens nach wie vor eine dominierende Stellung einnahm. Daran änderte auch die Tatsache, dass der Neo-Konfuzianismus während der Song- und der Ming-Dynastie einige Ideen des Buddhismus und Taoismus in sich aufnahm, nichts.

Im Mittelpunkt der buddhistischen Lehre steht die Rettung der Seele des einzelnen Menschen. Den familiären Grundpflichten trug er keinerlei Rechnung, was ihn in Widerspruch zu den traditionellen Vorstellungen der Chinesen setzte. In einem China, in dem die Herrschaft des patriarchalischen Sippensystems und eine feudale Monarchie die Grundfesten der Gesellschaft waren, konnte eine Einstellung, wonach dem Herrscher keine Verehrung gebühre und man sich den Älteren gegenüber nicht pietätvoll zu verhalten brauche, nicht recht Fuß fassen. Infolgedessen änderte auch der Buddhismus seine Ansicht und näherte sich der konfuzianischen Lehre an, indem er offen erklärte, dass man dem Herrscher treu zu sein habe und die Macht des Kaiserhofs verteidigen müsse. Darüber hinaus wies der Buddhismus seine Anhänger an, Eltern und Ahnen zu verehren.

In der chinesischen Geschichte gab es Debatten zwischen der konfuzianischen Lehre und dem Buddhismus und zwischen Buddhismns und Taoismus. Im Brennpunkt der Debatte zwischen der konfuzianischen Lehre und dem Buddhismus stand der legitime Status des letzteren. Streitpunkt zwischen Buddhismus und Taoismus war hingegen, wessen Doktrinen die richtigen und die falschen seien, wobei es selbständlich darum ging, mehr Anhänger für den einen oder den anderen zu gewinnen.

Sakralbauten

Sakralbauten in China bestehen in ihrer großen Mehrzahl aus Grotten, Klöstern, Tempeln, Moscheen und Palästen.

Die Grottenform stammt aus dem alten Indien. Ursprünglich hatten

Der taoistische Tempel Bixia auf dem Taishan-Berg, Shandong

die indischen Grotten zwei Formen—eine mit Kammern zum Zweck der Meditation und des Sutrenstudiums für die Mönche, eine andere mit Stupas zur Unterbringung von Reliquien Buddhas. In den chinesischen Grotten sind nur Buddhaskulpturen und Wandmalereien zu sehen. Neben den Grotten oder davor gibt es ein oder zwei Klöster, wo Mönche leben und ihren religiösen Aufgaben nachgehen. In China gibt es viele Grotten. Die bekanntesten davon sind die Mogao-Grotten bei Dunhuang im Hexi-Korridor der Provinz Gansu, die Yungang-Grotten bei Datong in der Provinz Shanxi und die Longmen-Grotten bei Luoyang in der Provinz Henan. Diese Grotten wurden in verschiedenen Dynastien gebaut. In ihnen und den dazugehörigen Klöstern sind zahlreiche Buddhaskulpturen, Wandmalereien, Fresken, Reliefs und wertvolle kunsthandwerkliche Gegenstände zu sehen.

Vor der Sui- und der Tang-Dynastie baute man im allgemeinen mitten in einem Kloster oder Tempel eine oder mehrere Stupas zum

Zweck der Unterbringung von Buddhafiguren. Von der Sui-Dynastie an wurden infolge des Einflusses des chinesischen Baustils in den Klöstern viele Buddhahallen, Kapellen und Mönchszellen gebaut. Die Stupas oder die Stupagärten liegen daneben. Die Gesamtanordnung eines Klosters sieht wie die eines Palastes aus. Die Hauptbauwerke wie das Tor, die Buddhahallen und Kapellen befinden sich auf der süd-nördlichen Achse. Andere Bauwerke wie Glocken- und Trommelturm sowie Wohnhäuser der Mönche liegen zu beiden Seiten der Achse. Sie sind durch überdachte Wandelgänge miteinander verbunden. Wegen des Unterschieds zwischen den religiösen Schulen und zwischen Gebieten ist die Architektur der Klöster z.B. in Tibet und Yunnan etwas anders als die der Klöster in anderen Landesteilen.

Die Veränderung der Gestalt verschiedener Buddhafiguren ist eine weitere Besonderheit des chinesischen Buddhismus. Die Buddhastatuen und die Buddhas in den Wandmalereien in Grotten und Klöstern besitzen fast ausnahmslos chinesische Gesichtszüge. Auch ihre Kleidung ist chinesisiert. Ein typisches Beispiel dafür sind die Skulpturen und Figuren des Budhisattwa Guanyin (Gottheit der Barmherzigkeit) in Grotten und Klöstern. Vor dem 6. Jahrhundert sind sie männlichen Geschlechts. Sie sehen würdevoll und ernst aus. Doch danach werden sie weiblichen Geschlechts. Sie sind weltlich und mit den Attributen weiblicher Schönheit ausgestattet. Die Statue der Guanyin in manchen Grotten und Klöstern wird auch „die reizvolle Guanyin" genannt. Sie hat nun einen wohlproportionierten, jugendlichen Körper und steht oder sitzt auf einer Lotosblume. Sie trägt am ganzen Körper wertvollen Schmuck. Über ihr Gesicht, das hübsch und zart ist, huscht ein Lächeln, ein Symbol östlicher Schönheit, so daß sie von einigen Malern „Venus des Ostens" genannt

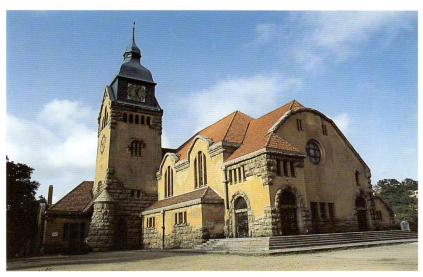

Die Protestantische Kirche in Qingdao, Shandong

wird. Überdies hat sich der Status vom Bodhisattwa Guanyin verändert. Ursprünglich saß sie neben Amitabha, dem Schöpfer des im Westen gelegenen „Paradieses". Aber in China übertrifft das Ansehen des Buddhisattwa Guanyin das Schakjamunis, des Begründers des Buddhismus. Daher übersteigt der Standard der Halle, in der man sie verehrt, den Standard der Buddha-Halle.

Die taoistischen Klöster und Tempel werden auf Chinesisch als „Guan" oder „Gong" bezeichnet. Sie wurden meistens in Gebirgen oder am Meer, jedenfalls in einer schönen Landschaft, wo den Legenden nach Unsterbliche leben, gebaut, ein Symbol für die hohe Achtung, die der Taoismus der Natur entgegenbringt, sowie dafür, über den Sterblichen zu stehen und sich vom irdischen Leben loszulösen.

Die meisten Moscheen in China sind palastartige Bauten. In Xinjinag und einigen anderen Gebieten Nordwestchinas sind sie im arabischen Stil gebaut. Die Haupthalle trägt ein Kuppeldach, und es

Moschee mit Holzstruktion im Kreis Tongxin, Ningxia

gibt ein Minarett zur Ausrufung der Gebetsstunden. Im Landesinneren Chinas sind die meisten Moscheen hölzerne Bauwerke mit Hallen und zweistöckigen Pavillons.

Die christlichen Kirchen haben in China nur eine kurze Geschichte. Sie zeigen viele westliche Baulemente.

Die chinesische Medizin und Pharmakologie

Die Theorie von *Yin* und *Yang* und die Theorie der *fünf Elemente*

Die chinesischen Naturwissenschaften der alten Zeit wurden zum größten Teil durch die moderne Wissenschaft ersetzt. Nur die traditionelle chinesische Medizin und Pharmakologie haben bis heute nichts von ihrer Bedeutung verloren.

In der langen Zeit seines Kampfes gegen Krankheiten jeder Art hat das chinesische Volk eine Schatzkammer der traditionellen Medizin und Pharmakologie geschaffen. Die lange Praxis hat aus

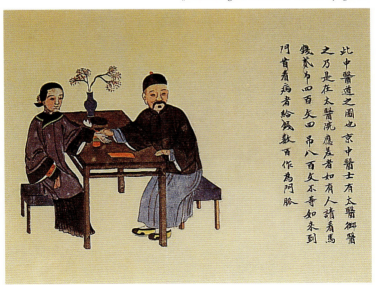

Die Szene „Diagnosne durch Pulsfühlen" aus der „Darstellung der Heilkunst" aus der Qing-Zeit

Das Zeichen des *Taiji*-Diagramms. Der weisse Teil symbolisiert *Yang*, der schwarze *Yin*, und die Schriften ringsum erklären den unterschiedlichen Zyklus.

der traditionellen chinesischen Medizin und Pharmakologie eine ausgeprägte Schule gemacht, die immer wieder verbessert und bereichert wurde. Gemäß der alten Theorie von *Yin* (Negativ) und *Yang* (Positiv) und der alten Theorie der *fünf Elemente* (Holz, Feuer, Erde, Metall und Wasser) erklärt die traditionelle chinesische Medizin die physiologischen Erscheinungen und die pathologischen Veränderungen des Körpers sowie die Beziehungen zwischen ihnen. Sie hat Physiologie, Pathologie, Diagnose, Verwendung von Arzneimitteln und Behandlung organisch miteinander verbunden.

Die chinesischen Denker der alten Zeit meinten, dass das Weltall aus den zwei Lebensenergien *Yin* und *Yang* bestehe. Ihre ununterbrochenen Bewegungen seien die Ursache des Seins der Welt. Ursprünglich bedeutete *Yin* Rücken zur Sonne und *Yang* Gesicht zur Sonne. Später verstand man *Yin* als unbeweglich, innen, niedergehend, kalt und dunkel usw. und *Yang* als beweglich, außen, aufsteigend, heiß, hell usw. In der Unterscheidung zwischen *Yin* und *Yang* gibt es keinen Bedeutungsunterschied von „gut" und „schlecht". Die *Yin-Yang*-Theorie betrachtet Männer als *Yang* und Frauen als *Yin*. Der Wechsel zwischen *Yin* und *Yang* ist ein grundsätzliches Gesetz aller Dinge in der Welt. Beispielsweise wechseln Winter und Frühling einander ab. Idealer Zustand ist die Harmonie. Wenn alle Dinge im Gleichgewicht sind, befindet sich der Weltraum in einem Zustand „normaler" Bewegung.

In der traditionellen chinesischen Medizin gelten Reiz oder Stimulus als *Yang*, Hemmnis oder Inhibition dagegen als *Yin*. Der Tag ist die Domäne des *Yang*, die Nacht die des *Yin*. Ein guter Gesundheitszustand eines Menschen spiegelt das Gleichgewicht zwischen *Yin* und *Yang* in seinem Köper wider. Krankheit hingegen ist ein Zeichen für die Unausgeglichenheit zwischen *Yin* und *Yang*.

Die chinesischen Denker der alten Zeit waren der Meinung, daß alle Dinge im Universum aus den fünf unentbehrlichen Elementen des täglichen Lebens—Holz, Feuer, Erde, Metall und Wasser—bestehen. Sie bewegen sich ständig, verändern, fördern sich gegenseitig oder unterdrücken einander. Z. B. kann Holz das Feuer und Wasser das Holz fördern, hingegen hat Wasser über das Feuer und Feuer über das Metall Macht. Die wechselseitige Förderung und Unterdrückung dieser fünf Elemente halten das Gleichgewicht zwischen allen Dingen im Universum.

In der Theorie der traditionellen chinesischen Medizin werden die fünf inneren Organe (Herz, Leber, Milz, Lunge und Nieren) gemäß der Beziehung zwischen den fünf Elementen betrachtet. Genauso wie zwischen den fünf Elementen gibt es auch zwischen den fünf inneren Organen eine wechselseitige Förderung und Beschränkung. Daher verursacht die pathologische Veränderung

Herstellung chinesischer Arzneien, Darstellung aus der Ming-Zeit

eines inneren Organs des Menschen eine Unausgeglichenheit zwischen anderen inneren Organen. Die Folge ist Krankheit.

Nach der Theorie der traditionellen chinesischen Medizin stellen die fünf inneren Organe die fünf großen Organisationssysteme im Körper des Menschen dar. Die anderen Organe sind durch „Kanäle" mit diesen fünf großen Organisationssystemen verbunden. Beispielsweise sind die Nieren mit den Ohren und die Leber mit den Augen verbunden. Die „Kanäle" bestehen aus den die Körperaktivitäten regulierenden Netzkanälen, durch die Blut und Lebensenergie zirkuliert, und den Verbindungslinien zwischen den Körpermeridianen. Die „Kanäle" sind die die Körperaktivitäten regulierenden Akupunkturlinien, ein Netz von Energie- und Blutkanälen mit darauf verteilten Akupunkturstellen. Ihre Existenz wird inzwischen von medizinischen Geräten bestätigt.

Die traditionelle chinesische Medizin vertritt die Ansicht, daß die verschiedenartigen Krankheiten in enger Beziehung mit den fünf inneren Organen stehen. Wenn die fünf inneren Organe das Gleichgewicht zwischen ihnen verlieren, kommt es nach dieser Theorie zu Krankheiten an anderen Stellen des Körpers. Dann sind Farbe und Glanz von Zunge und Gesicht, die Stimme, der Gesichtsausdruck und der Puls nicht normal.

Seit mehr als 2000 Jahren wendet der Arzt folgende vier Diagnoseverfahren an: umfassende Beobachtung des Aussehens des Patienten, Bewertung der Stimme und des Körpergeruchs, Befragung des Patienten und Fühlen des Pulses. Im Laufe der Jahrtausende haben sich diese Diagnoseverfahren als zuverlässig erwiesen.

Die Theorie der modernen chinesischen Medizin fußt auf der Grundlage der reichen Erfahrungen unserer Vorfahren. Das *Huang Di Nei Jing* („Kanon des Gelben Kaisers über die inneren Krankheiten") aus der Westlichen Han-Zeit ist das älteste medizinische Werk. Seit mehr als 2000 Jahren ist es eine Pflichtlektüre für angehende Mediziner.

Chinesische Arznein sowie die Akupunktur- und Moxenbehandlung

Die chinesischen Arzneien sind in pflanzliche, tierische, mineralische, biochemische und chemische Arzneien eingeteilt. Die pflanzlichen Arzneien haben eine Geschichte von über 4000 Jahren. Der Sage nach hat Shen Longshi, der legendäre Begründer

Vier Heilpflanzen aus dem „Abriß der Arzneikunde"

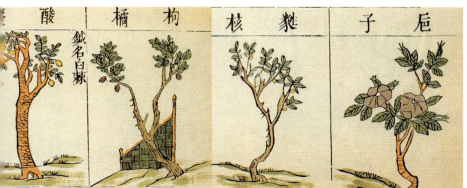

der Landwirtschaft, hundert Kräuter probiert und Kranke behandelt.

In alter Zeit schufen die Vorfahren der chinesischen Nation viele bedeutsame medizinische und pharmakologische Werke. Das erste entstand im 2. Jahrhundert, und darin sind 365 Arten von Heilpflanzen beschrieben. Später wurden einige Hundert medizinische und pharmakologische Bücher verfaßt. Das bekannteste davon heißt „Ben Cao Gang Mu" („*Abriß der Arzneikunde*). Es wurde von dem großen Arzt Li Shizhen (1518—1593) verfaßt. Das Buch behandelt 1892 Medikamente mit 1110 Abbildungen und enthält 1101 Rezepte. Die beschriebenen Arzneimittel sind pflanzlichen, tierischen und mineralischen Ursprungs und hinsichtlich ihrer Standorte bzw. Fundorte, ihrer Form und Morphologie, ihrer Eigenschaften, ihrer Funktionen sowie ihrer Verarbeitung behandelt. Das Werk erschien mehrmals in Neuauflage und wurde auch in Fremdsprachen übersetzt. Heute kennt man über 8000 chinesische Arzneien und über 6000 Heilkräuter.

Man muß Heilkräuter zur rechten Zeit sammeln. Für das Abkochen verwendet man spezielle Tontöpfe. Noch heute werden Rezepte aus alter Zeit verwendet. Rezepte, die eine nachweislich gute Heilwirkung haben, wurden gesammelt und herausgegeben. Sie stellen einen bedeutenden Beitrag zur Entwicklung der Gesundheitspflege dar und sind ein grundlegender Lehrstoff der chinesischen Medizin.

Die „Kanäle" (das sind Körperaktivitäten regulierende Akupukturlinien, gesehen als ein Netz von Energie- und Blutkanälen mit darauf verteilten Akupunkturstellen) sind zwar bis heute nicht durch die Anatomie bestätigt, ihre Existenz wurde aber durch Experimente nach modernen wissenschaftlichen

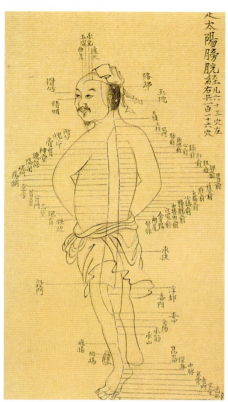

Darstellung der die Körperaktivitäten regulierenden Kanäle, durch die das Blut und die Lebenenergie zirkuliert (Qing-Zeit). Die roten Punkte sind die Akupunkterstellen, die sie verbindenden Linien Kanäle.

Bronzene Figur mit Akupunkturpunkten aus der Qing Zeit

Methoden bewiesen. Doch nicht nur dadurch, sondern auch mittels der erfolgreichen Behandlung von Krankheiten durch Akupunkturtherapie, Moxibustion und Massage sowie therapeutischen Körperübungen wie *Qigong* (vitalitätsfördernde Atemübungen) und *Daoyin* (Körperübungen).

Vor langer Zeit entdeckten die Chinesen, dass Schmerzen in Rumpf und Gliedmaßen durch Akupunktur an bestimmten Stellen des Rumpfes und der Gliedmaßen gestillt werden können. Diese

Stellen werden in der chinesischen Medizin als Akupunkturstellen bezeichnet, die sich entlang der „Kanäle" oder an bestimmten Stellen außerhalb der „Kanäle" befinden. Akupunktur und Moxibustion sind zwei alte traditionelle Methoden zur Behandlung von Krankheiten.

Bei der Moxibustion werden über den Akupunkturstellen des menschlichen Körpers Beifußblätter verbrannt, um durch Erhitzung oder „Räuchern" diesen Stellen Krankheiten zu heilen. Die Beifußblätter werden zuerst getrocknet, vorbehandelt und dann zu kleinen Kugeln oder Stäbchen geformt, die man anzündet und auf die Akupunkturstelle legt.

Mit Akupunktur und Moxibustion werden bei der Behandlung verschiedener Schmerzen und Probleme mit den Sinnesnerven, aber auch bei Bewegungsstörungen gute Heilwirkungen erzielt. Außer bei der Behandlung von Krankheiten wird die Akupunktur auch in der Anästhesie eingesetzt. Damit kann der Arzt einen Kranken örtlich oder allgemein betäuben, und die Patienten sind während der Operation bei vollem Bewußtsein. Deshalb ist die Akupunkturanästhesie besonders für jene Patienten geeignet, die keine Narkotika vertragen oder für die sie zu gefährlich sind. Durch die Entwicklung der Akupunkturanästhesie erfährt auch die Erforschung solch grundlegender Theorien wie z. B. die der Lehre von den „Kanälen" einen Auftrieb. Gleichzeitig hat die Akupunkturanästhesie der modernen Physiologie, Biochemie und Anatomie neue Aufgaben gestellt.

Die Ärzte und Forscher in alter Zeit hatten die Lehre von den „Kanälen" und den Akupunkturstellen, deren Indikation und Kontraindikation bereits in vielen Monographien und Diagrammen ausgeführt, begründet und dargestellt. Dazu gehörte auch eine hohle

Taijiquan-Übung

Bronzefigur mit markierten Akupunkturpunkten, die mit Quecksilber gefüllt wurde. Auf der Oberfläche der Figur waren die Meridiane bzw. „Kanäle" und 300 Akupunkturlöcher zu sehen, die mit Wachs verschlossen wurden. Wenn man einen Akupunkturpunkt mit der Nadel ganz genau sticht, fließt das Quecksilber heraus. So wurden im Unterricht das Erkennen der Akupunkturpunkte und die genauen Nadelstiche geübt.

Zu den Heilverfahren, die keiner Arzneimittel bedürfen, gehört auch die Massage.

Wege zur Gesunderhaltung

In der chinesischen Medizin nimmt die Vorbeugung eine wichtige Stelle ein. Daher wird seit alters her größter Wert auf

Die Heilgymnastik „Lustige Streiche von fünf Tieren". Die fünf Bewegungen (von oben nach unten) sind die von Tiger, Bär, Hirsch, Affe und Vogel.

eine gesunde Lebensführung gelegt. In China sind schon sehr früh Methoden zur Gesundheitspflege entstanden. Bereits in alter Zeit gab es das „Daoyin-*Diagramm*". Es fand sich auf einem Seidengemälde aus dem 2. Jahrhundert v. Chr., das im Grab Nummer 3 aus der Han-Dynastie in Mawangdui in Changsha, Provinz Hunan, entdeckt wurde. *Daoyin* bedeutet, dass man sich durch bestimmte Bewegungen der Glieder und des Rumpfes in Verbindung mit Atemübungen körperlich abhärtet. In mehr als 40 Körperhaltungen zeigt das Diagramm die Methoden zur Stärkung des Körpers und zur Vorbeugung gegen Krankheiten. Ende der Han-Zeit hatte Hua Tuo (145—208), ein berühmter Arzt, die Heilgymnastik „Lustige Streiche von fünf Tieren" entwickelt, bei der die

Bewegungen von Tiger, Bär, Hirsch, Affe und Vogel nachgeahmt werden.

Im Laufe einer langen Zeit des Praktizierens sind viele Methoden, Reglen und Übungen zur Gesundheitspflege zusammengefaßt worden, u. a. die Pflege der Lebenskraft, die Regulierung von Speise und Trank, die Führung eines geregelten Alltagslebens, medizinische Behandlung und therapeutische Körperübungen wie *Qigong* und *Wushu*.

Qigong ist aus der *Daoyin*-Bewegungskunst hervorgegangen. Die *Qigong*-Übungen werden, was ihren Ablauf betrifft, in „Ruhe" und „Bewegung" unterteilt, und was ihre Funktionen angeht in zwei Kategorien: Bekämpfung von Krankheiten und Gesunderhaltung. Es gibt verschiedene *Qigong*-Schulen. Die *Qigong*-Übungen sollen den Praktizierenden in einen entspannten, ruhigen und natürlichen Zustand versetzen, so dass sich sein Körper und seine Seele von selbst verbessern. Im 20. Jahrhundert hat sich das chinesische *Qigong* auch in Amerika und Europa verbreitet. Den Grundsätzen der chinesischen *Qigong*-Übungen folgend haben amerikanische und europäische Mediziner ähnliche Therapien aufgestellt, so z. B. spezielle Atemübungen in Deutschland und Entspannungs- und Meditationstherapien in den USA.

Wushu, auch als *Gongfu* bezeichnet, zählt zu den traditionellen Kampfsportarten Chinas. Bereits in alter Zeit wurde es in China als Mittel der körperlichen Ertüchtigung und zur Selbstverteidigung entwickelt. Es gibt zwei Kategorien von *Wushu*—eine mit bloßen Händen, die andere mit Waffen. Grundlage des *Wushu*-Stils mit bloßen Händen ist das Boxen. Daher heißt es in China: Wer *Wushu* lernen möchte, muß zuerst das Boxen lernen. Je nach Struktur und

Bewegungsform lassen sich die Boxstile in *Houquan* (Affenboxen), *Shequan* (Schlangenboxen), *Yingzhuaquan* (Adlerkrallenboxen), *Zuiquan* (Betrunkenenboxen) und andere Boxenarten unterteilen. Das *Wushu* mit Waffen umfaßt Messer-, Schwert-, Stock- und Gewehrkunst.

Wushu und *Qigong* stehen in direkter Verbindung. Deshalb sagt man oft, dass, wer *Wushu* ohne *Qigong* lernt, erfolglos bleibt. Das *Taiji*-Boxen hat sich aus *Wushu* und *Qigong* entwickelt. Bewegungen des *Taiji*-Boxens sind sanft und langsam. Bei den Übungen muß man sehr konzentriert sein. Die Atmung muß tief, lang und gleichmäßig sein. Außerdem müssen Atmung und Bewegung harmonisch ablaufen. Für alte und schwächliche Leute ist das *Taiji*-Boxen ein wirksames Mittel zur körperlichen Ertüchtigung.

Die Entwicklung der chinesischen Medizin

In alter Zeit wurde die chinesische Medizin hauptsächlich so verbreitet, dass Meister ihren Schülern oder Eltern ihren Kindern Kenntnisse und Erfahrungen beibrachten. Es gab zwar auch staatliche medizinische Lehranstalten, aber hier wurden vor allem Mediziner für den Kaiserhof und für die Oberschicht der Gesellschaft herangebildet. Ärzte des Kaiserhofs konnten ein hohes Amt bekommen, doch wenn etwas schiefging, drohten Verbannung oder die Todesstrafe. Unter diesen Umständen strebten Ärzte des Kaiserhofs nicht nach Ruhm, sondern einzig danach, keinen Fehler zu begehen. Die Weiterentwicklung und Übermittlung der chinesischen Medizin ist insofern den Ärzten im Volk zu verdanken. Heute bestehen in China die chinesische und die westliche Medizin nebeneinander und ergänzen einander in vielfacher Weise.

Die chinesische und die westliche Medizin haben ihre eigenen Denkweisen, Forschungsmethoden und theoretischen Systeme. In der chinesischen Medizin werden die physiologischen Funktionen des Menschen als ein Ganzes gesehen. Die Funktionen der verschiedenen Organe sind miteinander verbunden. Gleichzeitg sind die physiologischen Funktionen der verschiedenen Organe des Menschen sowie die Natur und Umgebung als ein Ganzes zu betrachten. Deshalb hat nach der chinesischen Medizin eine Krankheit mit dem geistigen Befinden und Lebensumstand des Menschen sowie mit der Außenumwelt, insbesondere mit dem Klima, zu tun. So kuriet man bei der klinischen Behandlung nicht bloß den Kopf und nicht den Fuß, wenn der Kopf und der Fuß weh tun, sondern bemüht sich um die Regulierung des Gleichgewichtes der Funktionen der verschiedenen Organe, um den Ursprung der Krankheit zu beseitigen. Schädliche

Schwertkunst-Liehaber

Wushu-Demonstration

Nebenwirkungen der chinesischen tierischen und pflanzlichen Arzneien sind, wenn überhaupt feststellbar, sehr gering. All dies sind Vorteile der chinesischen Medizin.

Bereits vor mehr als 1000 Jahren wurde die chinesiche Medizin in Vietnam, Korea und Japan eingeführt. Anfang der Ming-Dynastie verbreitete sich die westliche Medizin in China. Seit dem 19. Jahrhundert behaupteten viele Leute in China, dass man die Vorteile der westlichen Medizin studieren müsse, um die Mangelhaftigkeit der chinesischen Medizin zu überwinden. Von da an fand die Verbindung der chinesischen und westlichen Medizin in China ihre Anwendung. Heute koexistieren diese zwei Medizinen in China.

Kalender und Feste

Traditionelle Zeitrechnungsmethode

Im Unterschied zur alten europäischen Astronomie mit der Himmelsforschung als ihrer zentralen Aufgabe stand für die alte chinesische Astronomie den Kalender im Mittelpunkt. Der Legende zufolge gab es in China schon Anfang der Xia-Dynastie (ca. 21. Jahrhundert – ca. 16 Jahrhundert) einen Kalender. Der traditonelle chinesische Kalender, der teils auch heute noch verwendet wird, ist der Mondkalender. Er ist der Nachfolger des Kalenders aus der Xia-Dynastie, der in der Shang-Dynastie vervollkommnet wurde. Da wurde ein Jahr in 12 Monate unterteilt. Ein Monat mit 30 Tagen wurde als „großer Monat" und ein Monat mit 29 Tagen als „kleiner Monat" bezeichnet. Der Kalender gab den Bauern Fixzeiten für Aussaat und Ernte.

In der traditionellen chinesischen Zeitrechnung werden Sonnen- und Mondkalender angewendet. Der Sonnenkalender wird nach der Sonnenbewegung berechnet. Ein tropisches Jahr ist der Lauf der Sonne vom Widderpunkt des ersten Jahres bis zum Frühlingspunkt des zweiten Jahres. Doch der Mondkalender wird nach der Regelmäßigkeit der Veränderung von Vollmond und Neumond berechnet. In alten Zeiten nannte man die Zeiten, in denen man das Mondlicht nicht sehen konnte, Shuo (Neumond) und den Vollmond Wang. Die Zeit vom ersten Shuo bis zum nächsten Shuo oder vom ersten Wang (Vollmond) bis zum nächsten Wang ist ein Monat. Dieser Monat wurde als Shou-Wang-Monat bezeichnet. Die Rechnungsmethode vom tropischen Jahr und Shuo-Wang-Monat bildet die beiden grundlegenden Konstanten für die Aufstellung des Kalenders. Zur Zeit der Streitenden Reiche war der Kalender schon ziemlich ausgereift. Damals wurde das tropische Jahr mit 365,25 Tagen und ein Shuo-Wang-Monat mit 29,53025 Tagen festgelegt. Die 12 Shuo-Wang-Monate haben 354 Tage, also 11 Tage weniger als die Tage eines tropischen Jahres. Daher wurden innerhalb einer Zeit von 19 Jahren sieben Schaltmonate eingeführt. Allen späteren Zeitrechnungsmethoden Chinas lag dieses System zu Grunde. Während der Yuan-Dynastie stellte Guo Shoujing (1231—1316) einen neuen Kalender auf, den „Shoushifa". Nach diesem Kalender hatte ein tropisches Jahr 365,2425 Tage, nur 26 Sekunden weniger als der Erdball braucht, um sich einmal um die Sonne zn bewegen.

Der traditonelle chinesische Mondkalender steht in engem Zusammenhang mit der Landwirtschaft. Bereits im 3. Jahrhundert v. Chr. wurden im chinesischen Mondkalender 24 Jahresperioden festgelegt, die man aus Kenntnissen über die Gesetzmäßigkeiten der Wechsel der Jahreszeiten und der klimatischen Verhältnisse gewonnen hatte. Diese 24 Perioden markieren die Daten der 24 festen Zeitpunkte in der Bewegung der Sonne in einem Jahr. Im gregorianischen Kalender sind sie im allgemeinen unbeweglich. Im großen und ganzen misst eine Periode 15 Tage, z. B. setzt die Periode Guyu (Regen für die Saat) am 20. oder 21. April nach dem gregorianischen Kalender ein. Von diesem Zeitpunkt an ist es schon relativ warm, und auch die Niederschläge nehmen zu. Im Norden Chinas ist dies die Zeit der Aussaat. Die Periode Xiazhi (Sommersonnenwende) setzt am 21. oder 22. Juni nach dem

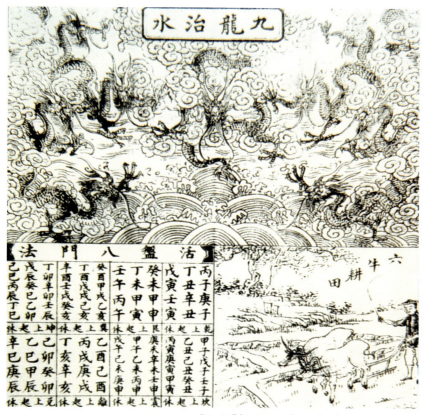
Das Titelblatt eines traditionellen Kalenders

gregorianischen Kalender ein. Die Sonne strahlt fast direkt über dem Wendekreis des Krebses. Es ist der längste Tag auf der nördlichen Halbkugel. Um diese Zeit herum ist in der Landwirtschaft sehr viel zu tun. Es gibt Schädlinge und Unkraut in Mengen. Man muß sich noch mehr als zu anderen Zeiten um die Felder kümmern. In Zentralchina lautet ein Sprichwort: „Das Unkraut auf den Baumwoll-Feldern am Xiazhi ist schlimmer als der Biß giftiger Schlangen". Daraus kann man ersehen, dass diese 24 Jahresperioden

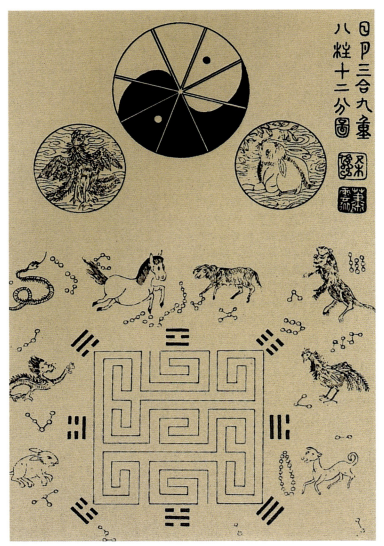

„Szene der Fragen nach dem Himmel" aus der Qing-Zeit. Oben ist das *Taiji*-Diagramm. Zu beiden Seiten davon befinden sich die Sonne und der Mond. Die Sonne wird von einem Vogel mit drei Füssen (ein Fabeltier) und der Mond vom Hasen vertreten. Das viereckige Muster unten in der Mitte symbolisiert die Erde. Die Symbole der acht Diagramme (acht Kombinationen aus jeweils drei durchgehenden und drei gebrochenen Linien, die Himmel, Erde, Donner, Wind, Wasser Feuer, Berge und Seen versinnbildlichen) stehen rings um das Muster. Die Kettenringe des äußeren Kreises bedeuten 28 Sternbilder (im alten China), und die zwölf Tiere verkörpern zwölf Doppelstunden von großer Wichtigkeit für die Landwirtschaft sind. Der traditionelle chinesische Kalender wird auch als Bauernkalender bezeichnet. Diese 24 Perioden sind das wichtigste Einteilungskriterium des chinesischen Bauernkalenders.

Die „Ganzhi"-Jahreszyklen

China benutzt erst seit knapp 100 Jahren die westliche Zeitrechnung. Davor wurde die Methode von kombinierten „Gan"- und „Zhi"-Zyklen zur Zählung der Jahre eingesetzt. Diese Methode wurde schon seit der Han-Dynastie, also seit mehr als 2000 Jahren angewandt und war für das Kalenderwesen im alten China eine bedeutsame Erfindung. Während der Zeit der Streitenden Reiche waren die Methoden zur Zählung der Jahre in den verschiedenen Fürstentümern unterschiedlich.

„Ganzhi" ist die Zusammsetzung von „Gan" und „Zhi". „Gan" ist das Kollektivum der insgesamt 10 „Himmelsstämme". Sie sind folgendermaßen geordnet: Jia, Yi, Bing, Ding, Wu, Ji, Geng, Xin, Ren und Gui. „Zhi" ist die Sammelbezeichnung der 12 „Erdzweige". Ihre Reihenfolge ist: Zi, Chou, Yin, Mao, Chen, Si, Wu, Wei, Shen, You, Xu und Hai. In alter Zeit wurde ein Tag in zwölf Doppelstunden unterteilt. Bei der Zählung der Zeit benutzte man die Zeichen der zwölf Erdzweige. „Zi" sind die zwei Stunden von dreiundzwanzig bis ein Uhr des nächsten Tages und „Chou" die beiden folgenden, also von eins bis drei. Die Methode, die Jahre nach dem „Ganzhi"-System zu benennen, basiert auf der Zusammensetzung der „Himmelsstämme"-Reihe und der Reihe der „Erdzweige" analog ihrer festgelegt Abfolge. So erhält man 60 Bezeichnungen, die zusammen einen Zyklus mit ebenso vielen Jahren bilden. Ein solcher Zyklus wird „Jiazi" genannt. Kombiniert nach der Reihenfolge hat das erste Jahr des Zyklus einen Namen, der zusammengestellt ist je aus dem ersten Wort von „Gan" und „Zhi": „Jiazi", das zweite Jahr, heißt „Yichou", das dritte Jahr „Bingyin". So wird weiter kombiniert, bis der Zyklus beendet ist. Der „Jiawu"-Krieg (Chinesisch-Japanischer Krieg, 1894/95) und die „Xinhai"-Revolution (die Revolution von 1911) wurden nach der Methode der „Ganzhi"-Jahreszyklen so benannt.

Das Problem bei dieser Methode ist aber, dass man nach ein paar hundert Jahren nicht mehr weiß, in welchem Jahr welchen Zyklusses ein bestimmes Ereignis eigentlich geschah. Um dieses Problem zu lösen, fügte man ab 140 v. Chr. dem Jahreszyklus die Bezeichnung für die Regierungsperiode des jeweiligen Kaisers hinzu.

Im Volk wurde den 12 „Erdzweigen" je ein Tier zugeordnet, so die Maus dem Zeichen Zi, das Rind dem Chou, der Tiger dem Yin, der Hase dem Mao, dem Zeichen Chen wurde der Drache zugeordnet, dem Si die Schlange, dem Wu das Pferd, dem Wei das Schaf, dem Shen der Affe, dem You der Hahn, dem Xu der Hund

Amillarsphäre, entworfen von Guo Shoujing, Astronom der Yuan-Dynastie

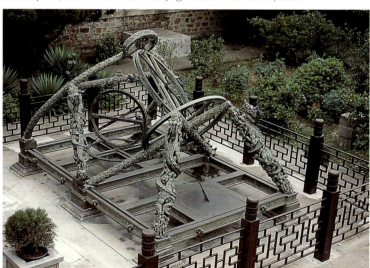

Astronomische Karte mit 1434 Fixsternen und Grenzlinien des Milchstraßensystems, in Stein graviert im Jahre 1247

und Hai dem Schwein. So ist das Jahr 1984 beispielsweise, das Jahr Jiazi nach dem chinesischen Bauernkalender, auch das Jahr der Maus, und 1985, das Jahr Yichou, ist gleichzeitig das Jahr des Rindes. Man gibt auch das Geburtsjahr nach diesem System an. Wer z. B. im Jahre Zi geboren ist, steht unter dem Zeichen der Maus, die im Jahre Chou Geborenen unter dem des Rindes.

Traditionelle Feste

Die meisten Feste in Europa und in den Ländern Westasiens sind religiösen Ursprungs. Doch die chinesischen Feste, insbesondere die traditionellen Feste der Han-Nationalität, stehen größtenteils in direktem Zusammenhang mit der Arbeit auf dem Feld und der Verehrung der Ahnen.

Unter den traditionellen chinesischen Festen nehmen die Feste der Han-Nationalität dominierende Stellungen ein. Sie richten sich meistens nach dem chinesischen Mondkalender.

„Chunjie", das Frühlingsfest, ist das wichtigste traditionelle Fest Chinas. Es fällt auf den 1. Tag des 1. Monats nach dem chinesischen Mondkalender und markiert deshalb den Anfang des neuen Jahres.

Vor dem Fest veranstaltet jede Familie ein Großreinemachen und bespritzt die Zimmer und Höfe mit Wasser, was bedeutet: „Das Alte (Jahr) verabschieden und das Neue (Jahr) begrüßen". Eine sehr alte Sitte ist, am Neujahrstag die Neujahrssprüche an der Haustür anzubringen. Bei den Bauern sind die Themen der Neujahrssprüche z. B. „ein gutes Erntejahr wünschen" und „die sechs Haustiere (Schwein, Rind, Schaf, Pferd, Huhn und Hund) gedeihen"; bei den Händlern ist es „das Geschäft blüht im ganzen Land und die Einkommensquellen sprudeln wie drei Flüsse". Manche Familien kleben Bilder des Türgottes rechts und links vom Eingang, um Böses abzuwehren. Außerdem werden auch noch spezielle Neujahrsbilder angebracht. Die Themen sind beispielsweise reiche Ernte, Langlebigkeit, Glück und Kindersegen.

Die Nacht vor dem Frühlingsfest heißt „Chuxi" (Silvesterabend). In dieser Nacht treffen sich alle Familienangehörigen zuhause und sitzen gemütlich beim „Nianyefan", also beim Silvesterabendessen, zusammen. Niemand geht schlafen, damit das neue Jahr friedlich wird, und alle Wohnhäuser sind hell erleuchtet, damit alles Unglückverheißende aus jeder dunklen Ecke vor dem Licht flieht.

Zeichnungen von Kometen aus einem han-zeitlichen Seidenbuch (Ausschnitt), angefertigt um 350 v. Chr. Unter den 29 Zeichnungen von den Kometen des Buches gibt es drei Arten unterschiedlicher Kometenköpfe und vier Arten unterschiedlicher Kometenschweife.

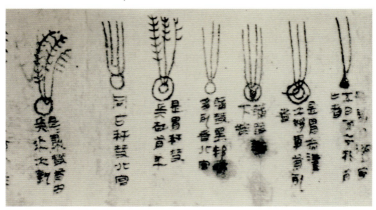

Das qing-zeitliche Gemälde „Neujahrbesuche am Frühlingsfest"

Um Mitternacht begrüßt man das neue Jahr. Man brennt ein Feuerwerk ab und opfert Weihrauch, um den Ahnen Ehre zu erweisen. Am Neujahrstag ziehen alle, alt und jung, neue Kleidung an und gehen die engsten Freunde und Verwandten besuchen, um ihnen ein gutes neues Jahr zu wünschen. Dabei äußert man gute Wünsche: „Ich wünsche Ihnen Glück! Möge im neuen Jahr alles gelingen! Viel Glück, langes Leben!" Während des Frühlingsfestes gibt es jeden Tag viele besondere Aktivitäten, darunter Trommel- und Gongwettbewerbe, Löwentanz, Stelzengehen, Landboot-Tanz und Yangge-Tanz. Überall in den Dörfern finden Theateraufführungen statt. Auch anläßlich des Frühlingsfestes veranstaltete Jahrmärkte oder Tempelfeste sind weit verbreitet.

Der 15. Tag des ersten Monats nach dem Bauernkalender ist ebenfalls ein wichtiger traditioneller Feiertag. Das ist das „Yuanxiao"-Fest oder Laternenfest. Dieser Tag ist der erste Vollmondtag des neuen Jahres und wurde in alter Zeit als das „Shanyuan"-Fest, das Fest des ersten Vollmonds bezeichnet.

Traditionsgemäß ißt man an diesem Tag *Yuanxiao* (Klößchen aus klebrigem Reismehl mit süßer Füllung). Da nach altem Brauchtum an diesem Tag Laternen aufzuhängen sind, wird das „Yuanxiao"-Fest auch Laternenfest genannt. Der Überlieferung nach ist das Laternenfest unter der Herrschaft des Kaisers Mingdi der Han-Zeit entstanden. Um die Verbreitung des Buddhismus zu fördern, beschloß man, in der Nacht des Yuanxiao-Festes am Kaiserhof und in den Tempeln Laternen aufzuhängen. Später begann sich diese Sitte auch im Volk zu verbreiten. So entstand nach und nach das Laternenfest.

Das Qingming-Fest fällt auf den 4. oder 5. April nach dem Gregorianischen Kalender, und war früher eines der beliebtesten unter den traditionellen Festen Chinas. Am diesem Tag gingen alt und jung hinaus, um die Ahnengräber zu reinigen und einen Spaziergang zu machen. Manche Familien versammelten sich und verließen die Stadt, um sich im Grünen zu ergehen. Dies wurde „Taqing"(Niedertreten grünen Grases) genannt. Zu dieser Zeit ist der Winter gerade vorbei, und es wird draußen wärmer. Man beginnt

Zum Frühlingsfest, bei Hochzeiten und an Geburtstagen wurden das Schriftzeichen „福" (Glück) und Scherenschnitte an Fenster und Wände geklebt.

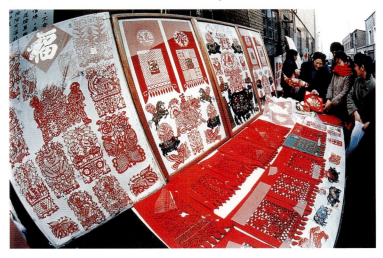

Der Brauch, zum Frühlingsfest Spruchpaare und Bilder von Türgöttern aufzuhängen, ist noch lebendig.

auch mit dem Pflanzen von Bäumen.

Am 5. Tag des fünften Monats nach dem chinesischen Mondkalender ist das Drachenbootfest (Duanwujie). Untersuchungen haben ergeben, dass die Ursprünge dieses Festes lange vor Qu Yuan, dessen Tod es angeblich gedenkt, anzusetzen sind, und viele Bräuche des Duanwu-Festes haben außerdem mit Drachen zu tun. So fand man folgende Erklärung: Das Duanwu-Fest war ein Festtag, an dem im Altertum das Volk der Wu- und der Yue, ein Sippenverband, dessen Totem der Drache war, diesem opferten. Es war also ein Fest des Drachen. Doch später verlor das Duanwu-Fest seinen ursprünglichen Inhalt der Verehrung des Drachen bzw. des Totems und wurde mit Qu Yuan in Verbindung gebraucht, dem großen Dichter der Periode der Streitenden Reiche.

Der Dichter und Patriot Qu Yuan lebte vor über 2300 Jahren im Staat Chu. Als er die Korruption der in Chu herrschenden adligen Cliquen erlebte, forderte Qu Yuan eine Reform der Innenpolitik, den Aufbau eines Rechtssystems und die Aufnahme von fähigen Leuten in die Staatsverwaltung. Seine Vorschläge trafen jedoch auf

„Szene des Drachenbootfestes" aus der Qing-Zeit

den Widerstand der herrschenden Klasse. Später vertrieb der König des Staates Chu den Dichter. Qu Yuan verfiel in tiefe

Niedergeschlagenheit. Als der Staat Chu unterging, weilte Qu Yuan gerade am Fluß Miluo nahe der Stadt Changsha in der heutigen Provinz Hunan, als ihn die Nachricht erreichte. Sowie bekannt wurde, dass er sich in den Fluß gestürzt hatte, kamen die Menschen von überall her mit Booten, um seinen Leichnam zu bergen. Da aber die Leiche bereits von der Strömung weggetragen worden war, konnte man sie nicht finden. Die Leute von Chu waren voller Schmerz darüber und füllten von da an jedes Jahr Reis in Bambusrohre, die sie als Opfer in den Fluß warfen. Damit begann nach der Überlieferung die Tradition, am Duanwu-Fest Drachenboote zu rudern und „Zongzi" zu essen. Und die Sitte, am Duanwu-Fest Beifußblätter und Kalmuspflanzen vor die Tür zu stecken, ist angeblich entstanden, um die Seele von Qu Yuan zu beschwören.

Der 15. Tag des achten Monats nach dem chinesischen Bauernkalender ist der Tag des traditionellen Zhongqiu-Festes (Mittherbstfest). Es gibt viele interessante Sagen und Überlieferungen darüber, wie dieser Tag zu einem Festtag wurde, und alle haben etwas mit dem Mond zu tun. In dieser Nacht ist der Mond rund und sehr hell. Er scheint einen besonderen Glanz zu haben. Der Vollmond ist im Volk als Symbol des Wiederzusammenfindens, deshalb heißt dieses Fest auch „Vereinigungsfest". Seit alters her ist der Brauch überliefert, in dieser Nacht den Mond zu bewundern und sich im hellen Mondschein draußen zu vergnügen. Man beobachtet den Mond und ißt dabei Mondkuchen, Äpfel, Datteln, Erdnüsse usw.

Am 9. Tag des neunten Monats feiert man das Chongyang-Fest. Da ist das Wetter schön, die Chrysanthemen entfalten sich zu voller Pracht. An diesem Tag steigt man auf einen Berg, erfreut sich am

Bildausschnitt „Vergnügungen des Ming-Kaisers Xianzong während des Laternenfestes im Kaiserpalast"

Anblick der Chrysanthemen und trinkt Chrysanthemen-Wein, um Krankheiten zu verjagen und das Leben zu verlängern. Außerdem sollte man ein Hartriegelzweiglein am Körper tragen.

Der Hartriegel ist ein niedrigwüchsiges Laubbäumchen. Zum Frühlingsende trägt es weiße Blüten und im Herbst Früchte. Man verwendet diese Pflanze auch als Arznei gegen Entzündungen, zur Stillung von Schmerzen und zur Atemregulierung. Die Blätter benutzte man früher zur Behandlung von Cholera, und aus den Wurzeln kann man ein Insektizid herstellen. So trug man in alten Zeiten an diesem Tag gern Hartriegel am Körper, um Insektenstiche, insbesondere Moskitostiche, zu verhindern.

Außer den hier erwähnten Festen der Han-Nationalität haben auch die 55 nationalen Minderheiten Chinas ihre traditionellen Feste und Gebräuche.

Sehnsucht nach Glück

Glückverheißende Dinge und Tiere

Wie andere Völker der Welt hat auch die chinesische Nation ein starkes Verlangen nach einem langen, glücklichen Leben. Daher gibt es in China viele glückverheißende Sprüche, Zahlen, Daten und Tiere.

Unter den glückbringenden Tieren ist der Drache das wichtigste. In Europa wird der Drache als eine Mißgeburt mit mehreren Köpfen beschrieben, die das Böse vertritt. Doch in China wird der Drache als der älteste in der Heerschar der Geister betrachtet. Der Überlieferung nach hat sich der Drache aus einem Totem entwickelt. Er besitzt die Merkmale mehrerer Tiere—das Geweih vom Hisch, den Kopf vom Pferd, die Augen vom Hasen, den Hals der Schlange, den Bauch einer Muschel, die Krallen vom Adler, die Fußsohlen vom Tiger, die Ohren von der Maus und Fischschuppen. Der Sage nach kann ein Drache tief in die Erde eindringen. Er kann sich auch in den Himmel emporschwingen, wo er die Wolken durchschüttelt und es regnen läßt. Es gab viele Drachentempel, wo der Drache verehrt wurde, dass er für günstiges Wetter für die Bauern und ein sorgenfreies Leben sorge. Von der Han-Dynastie an wurde der Drache zum Symbol der Person des Kaisers und seiner Macht. Die Kaiser verschiedener Dynastien waren überzeugt davon, eine Inkarnation des Drachen zu sein oder unter seinem Schutz zu stehen. Damit verschafften sie sich Autorität und legitimierten ihre

Herrschaft. Alles, was auch im entferntesten mit dem Kaiser zu tun hatte, trug die Gestalt oder das Muster des Drachen. Niemand sonst durfte ein Drachengewand tragen und einen Drachenstuhl benutzen. Aber als glückverheißender Tier ist der Drache seit alters her in vielen Sagen tief im Volk verwurzelt. Infolgedessen finden sich Drachenmuster und –skulpturen als Schmuck in der Architektur, in vielen kunsthandwerklichen Produkten und in der Malerei. Das Motiv des Drachen ist in viele Märchen eingegangen, und Drachenlaternentanz und Drachenbootrennen waren früher große Volksfeste. Heute hat der Drache seine mysteriöse Färbung und seine politische Bedeutung verloren. Aber er ist das Symbol der chinesischen Nation. Daher nennen sich die Chinesen „Kinder des Drachen".

Der Volkssage nach ist der Phönix der König der Vögel. Man kann den Phönix mit dem Drachen vergleichen. Auch er vereint die Merkmale mehrerer Vögel in sich. Er nistet nur auf der platanenblättrigen Sterkulie (*Firmiana simplex*), trinkt nur Quellwasser und frißt nur Blätter vom Bambus. In ihm verkörpert sich die Schönheit aller Vögel. Die Ankunft des Phönixes bedeutet den Beginn einer Friedenperiode unter dem Himmel. In alter Zeit waren Phönix und Drache ein Symbol für die Macht des Kaisers. Während der Ming- und der Qing-Dynastie übernahm der Phönix dann eine weibliche Rolle. So gab es eine Phönixkrone (Kaiserinnenkrone) und im Volk eine Phönixkappe, der Kopfputz einer Braut in Form eines Phönixes. Während der Ming-Dynastie hatten die Ehefrauen von Beamten der neunten Rangstufe und aufwärts die Phönixkrone zu tragen.

Vor alten Palästen, kaiserlichen Gärten und Mausoleen ist oft ein mythologisches Tier aus Bronze oder Stein zu sehen. Dieses

Tier wird Qinlin genannt und verheißt ein gutes Omen. Es hat einen Hirschkörper, einen Drachenkopf, einen Ochsenschwanz, einen Hirschgeweih, die Hufe eines Ochsen und Schuppen. In den Legenden ist das Qilin ein gutherziges Tier. Es erschien nur, wenn unter dem Himmel Frieden herrschte, Regierungsverordnungen unbehindert durchgeführt wurden und das Volk ein ruhiges Leben führte. Dieses Tier gefiel Kaisern und Königen am besten. Man betete im Volk zu Qilin um Kindersegen. Deshalb sieht man auf Neujahrsbildern oft die Szene „Qilin begleitet Kinder". Außerdem ist es als Muster oder kleine Skulptur bei Hochzeits- und Geburtstagfeiern zu finden.

Die Schildkröte hat eine lange Lebenserwartung und verfügt deshalb, so glaubte man, über reiche Lebenserfahrungen. Der Sage nach kann sie sich an die Vergangenheit erinnern und das Zukunftsgeschehen voraussehen. Daher sagte man in alter Zeit mit Hilfe von Schildkrötenpanzern wahr. Das Goldsiegel der Han-

Glasierte Drachen aus Stein im kaiserlichen Garten der Qing-Dynastie

Kaiser hat einen Schildkröten-Griff. Während der Tang-Dynastie mußten alle Beamten der Rangstufe fünf und aufwärts eine Schildkröten-Tasche tragen. Später erschien die Schildkröte innerhalb von Tempeln Meistens trägt sie dort eine Gedenktafel, wie die Schildkröte im Pavillon gleich hinter dem Haupttor Dagongmen (Großes Palasttor) der 13 Ming-Gräber bei Beijing.

Vor den Eingängen der Paläste, Tempel und Klöster, Wohnhöfe der Beamten und Mausoleen standen oder stehen aus Bronze gegossene Löwen oder Löwen aus Marmor. Der Löwe ist ein Raubtier. Der Volkssage nach kann er Teufel vertreiben und Revolten niederschlagen. Vor Kaiserpalästen, kaiserlichen Residenzen und Residenzen hoher Beamten symbolisierte ein Löwenpaar auch Macht und Würde, welche auf keinen Fall geschädigt werden durften. Der Löwentanz, eine artistische Darbietung, sorgt für fröhliche Feststimmung.

In China gilt der Tiger, viel mehr als der Löwe, als der „König der Tiere". Er ist Symbol für Kraft und Gesundheit. Im Volk wird er als Glücksbringer angesehen. In alter Zeit zogen die Eltern ihren Kindern mit Tigermustern bestickte Mützen und Schuhe an. Das sollte ihnen Glück und Gesundheit bescheren. In Zentralchina gehörte zur Mitgift der Braut ein Paar aus Teig geformte Tiger, was bedeutete, dass sie nach der Heirat Kinder gebären würde, die so tapfer und kraftvoll wie Tiger sind.

Der Rotkronenkranich ist das Symbol für Langlebigkeit. In einigen Legenden wird geschildert, wie die Unterblichen in Begleitung von Kranichen über den Wolken schweben und durch die Nebel fliegen. Die Volksmaler nahmen sich immer wieder des Motivs „Kiefer und Kranich" an, das für ein glückliches und langes Leben steht. In den Palästen und anderen kaiserlichen Anlagen sind

Vergoldeter Löwe im Kaiserpalast in Beijing

häufig Kraniche, Schildkröten und Hirsche zu sehen. Sie alle symbolisieren ein gutes Omen. So steht auch rechts und links vom Thron in der Halle Taihedian (Halle der Höchsten Harmonie) des Kaiserpalastes in Beijing je ein Bronzekranich.

Die weibliche und die männliche Mandarinente schwimmen immer zusammen im Wasser und fliegen stets Seite an Seite. Beim Schlafen kreuzen sich ihre Hälse. Stirbt einer der Partner, sucht

Elefant mit Vase, ein Symbol für Ruhe, Frieden und Glück

Kind (Lehmskulptur) mit Tigermütze und s-chuhen und dem Schriftzeichen „福" (Glück)

der Verbleibende sich keinen neuen. Deshalb ist ein Mandarinenpärchen in China das Symbol ehelicher Treue. Als glückbringendes Muster erscheint die Mandarinente oft auf Bettdecken und Kopfkissen sowie an Möbeln und Schmucksachen von Neuvermählten.

Die Aussprache der beiden Wörter „Fisch" und „Überschuss" ist im Chinesischen gleich. Infolgedessen wurde der Fisch zum Symbol des Reichtums. Beim Silveresten fast jeder Familie gibt es daher ein Karpfengericht, auf dass das neue Jahr Überschuss bringe. Da ein weiblicher Fisch viele Eier enthält, wurde Neuvermählten nicht selten ein Paar Jadefische als Hochzeitsgeschenk gemacht. Damit wünschte man ihnen viele Kinder und Glück.

Die Volkssage „Die Karpfen springen durch das Drachentor" schildert folgende Geschichte: Im März jedes Jahres schwimmen alle Karpfen des Flusses Huanghe (Gelber Fluß) stromaufwärts. Am „Drachentor" ist der Flußlauf schmal und die Strömung reißend. Es gibt nur wenige Karpfen, die das Drachentor überspringen können. Die, denen es gelingt, werden zu Drachen. In der Zeit, in der das kaiserliche Prüfungssystem durchgeführt wurde, war diese Geschichte ein Symbol des Glanzes von Reichtum und Ruhm. In jenen Jahren konnten die Intellektulellen, insbesondere jene Intellektuelle aus armen Familien, in hohe Ämter aufsteigen und reich werden, vorausgesetzt sie bestanden die kaiserlichen Examen.

Positive menschliche Eigenschaften in China werden häufig mit bestimmten Blumen und Bäumen verglichen. So wird für den standhaften Charakter oft das Bild der immergrünen Kiefer oder der Zypresse gewählt. Beide Bäume werden als die Senioren unter den Bäumen betrachtet. In alter Zeit wurden sie auf kaiserlichen Gräbern und Gräbern von hohen Beamten oder in kaiserlichen Gärten angepflanzt. Anständiges Benehmen, ein aufrechter Charakter und eine edle Gesinnung wird mit der Winterblume (*Chimonanthus praecox*), der Orchidee, der Chrysantheme und dem Bambus, die als die „vier Edlen" gelten, verglichen. In alter Zeit wurden diese vier Pflanzen von Dichtern besungen und von den Malern immer wieder zu Papier gebracht. Die prächtige Päonie gilt in China als die „Königin der Blumen". Sie symbolisiert Reichtum und Ruhm.

Der Granatapfel hat viele Samen und wird deswegen als glückverheißende Frucht angesehen. Er fehlt deshalb bei keiner Hochzeitsfeier. Der Allheilpfirsichbaum, der in einem chinesischen Mythos vorkommt, blüht und trägt Früchte nur alle dreitausend Jahre. Man sagt, dass man, wenn es einem gelingt, einen Allheilpfirsich zu esssen, niemals altert. Ein Allheilpfirsich aus Weizen- oder Reismehl darf deshalb bei keinem Geburtstagsglückwunsch fehlen. Es gibt Darstellungen und Skulpturen vom Gott des langen Lebens, der Fee oder dem

Wunderkind, die einen Allheilpfirsich mit beiden Händen tragen.

Glückbringende Muster

Aus den Zeichen oder Mustern auf alten Gebrauchsgegenständen und kunsthandwerklichen Dingen kann man die Vorstellungswelt der Menschen in früher Zeit verstehen lernen. Ein Beispiel dafür sind bestimmte Bronzewaren mit dem Motiv von dem als *Taotie* bezeichneten Raubtier aus der Shang-Dynastie. *Taotie* war eine freßgierige Bestie. Die Motive von *Taotie* an Bronzekochtöpfen oder –trinkgefäßen ermahnten alle, die Einnahme von Speise und Trank zu kontrollieren und niemals unmäßig zu sein, um bei guter Gesundheit zu bleiben.

Interessant in diesem Zusammenhang sind auch die Neujahrsbilder und Scherenschnitte.

Die Neujahrsbilder haben sich aus alten Türgottbildern entwickelt. Der Türgott hatte ursprünglich die Aufgabe, Teufel und Gespenster abzuwehren. Mit der Zeit verschmolzen die Türgottbilder mit den Feierlichkeiten zum Frühlingsfest und entwickelten sich so nach und nach zu Neujahrsbildern. Auf dem Land aber auch in der Stadt klebt man zum Frühlingsfest gern Neujahrsbilder an, die einfach zur fröhlichen Stimmung des Festes gehören. Die Themen der meisten Neujahrsbilder spiegeln den Wunsch der Menschen nach Glück und Ruhe sowie Langlebigkeit wider: Die Handlung einer Erzählung, glückbringende Muster, legendäre Gestalten und historische Persönlichkeiten. Hier einige Beispiele: Die Szene „Feld- und Webarbeit", die Szene „Große Feier zum fruchtbaren Jahr", die Szene „Gott des langen Lebens", die Szene „Hundert Kinder", die Szene „Den Eltern gegenüber pietätvoll und gehorsam sein" und die Szene „Freude der ganzen

Familie".

Die Scherenschnitte sind klug durchgedacht und schön in der Form. Ihre feinen Bilder zeigen die Besonderheiten der Volkskunst und lokalen Sitten. Wie das Neujahrsbild ist auch der Scherenschnitt in China weit verbreitet. Die Bildinhalte zeigen meist Szenen aus dem alltäglichen Leben. Zu allen möglichen festlichen oder anderen

Qing-Kaiser Qianlong (Regierungsperiode: 1736—1795)

Frühlingsfestbild mit dem Motiv „Das *Qilin* bringt einen Jungen".

frohen Gelegenheiten wie Frühlingsfest, Hochzeit, Geburt, Geburtstag oder Umzug bringt man gern Scherenschnitte mit. Außerdem benutzt man die Scherenschnitte als Fensterdekoration.

Glück des Volkes

Glück ist das Ziel, nach dem jedermann strebt. Bereits vor mehr als 2000 Jahren gab es in China fünf Erklärungen für das Glück: Shou (langes Leben), Fu (Reichtum), Kangning (gesund und ruhig), Haode und Zhongming. Mit der Zeit veränderte sich der Inhalt des Glücks. Doch in zwei Punkten blieb er gleich, nämlich Kinder bekommen und ein langes Leben.

Der Familienzusammenhalt ist in China sehr eng. Von jeher wurde großer Wert auf ein harmonisches Familienleben gelegt. Eine wachsende Nachkommenschar galt als großes Glück. Daher gibt es im Volk den Spruch „Mehr Kinder, mehr Glück". Auf einer Hochzeitsfeier früher Zeit sprachen alle Hochzeitsteilnehmer den Neuvermählten dazu ihren Wunsch aus, dass sie so bald wie möglich Kinder bekommen und bis ins hohe Alter harmonisch zusammenleben sollten. Aus diesen zwei Wünschen entstanden zwei Rituale: Erstens, Braut und Bräutigam nehmen die beiden Enden eines Seidenbandes und treten dann in das Brautgemach ein. Das Seidenband hat einen Knoten, der „Tongxinjie" (Knoten eines Herzens) heißt. Zweitens, Braut und Bräutigam schneiden sich jeder eine Haarsträhne ab und verarbeiten diese zu einem Haarknoten. Das nennt man „Jiefa" (Haar knoten). Außerdem gehörte zu jeder Hochzeitsfeier ein Muster, das aus Päonien und chinesischen Haarvögeln (eine Bülbülart, *Pycnonotus sinensis sinensis*) besteht. Der Haarvogel hat weiße Federn auf seinem Kopf, was bedeutet, dass das Ehepaar bis ins hohe Alter harmonisch

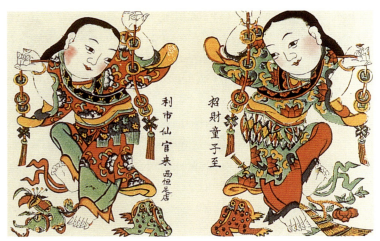

Der Reichtum bringende Junge und der Gewinn bringende Unsterbliche Xianguan in Frühlingsfestbildern.

zusammenlebt. Die Päonien hingegen symbolisieren Reichtum. Außerdem streute man nach dem Motto „Mehr Kinder, mehr Glück" bei der Hochzeitszeremonie Datteln, Erdnüsse, getrocknete Longane, Lotossamen und Weichkastanien auf das Bett der Neuvermählten, denn aus den gleichlautenden Wörtern dieser Früchte setzt sich der Satz „Zao Sheng Gui Zi" (bald vornehme Kinder gebären) zusammen. Obwohl es heute nur sehr wenige Leute gibt, die die Ansicht „Mehr Kinder, mehr Glück" vertreten, ist diese Sitte noch in manchen ländlichen Gebieten verbreitet. In Städten streut man bunte Papierfetzen und –streifen statt den obigen Früchten.

Auch ein Geburtstag ist in China sehr wichtig, darin kommt die Sehnsucht nach einem langen Leben zum Ausdruck. Im Volk gibt es seit alters her die Erzählung, dass Unterbliche jemandem zum Geburtstag gratulieren. Es gibt auch viele glückbringende Symbole — gute Omen für Langlebigkeit: Das Schriftzeichen „Shou" (langes Leben) in verschiedener kalligraphischer Gestaltung auf Papier gedruckt oder der Gott des langen Lebens, der freundlich lächelt und einen Geburtstagpfirsich in beiden Händen trägt. In der Bedeutung des Geburtstags kommt die traditonelle Tugend der Chinesen zum Ausdruck, das Alter zu ehren und alten Menschen gegenüber pietätvoll und gehorsam zu sein. Wer das Alter von 60 Jahren erreichte, konnte von sich sagen, dass er ein hohes Alter erreicht hatte. Die Nachkommenschaft veranstaltete deshalb eine Feier zum 60. Geburtstag. Das hieß „Zuoshou" (langes Leben feiern). Die Geburtstagsfeier eines Menschen unter 60 Jahren hieß „Guo Shengri" (den Geburtstag verbringen). In reichen oder Beamtenfamilien war diese Geburtstagszeremonie sehr feierlich. In der Halle der Langlebigkeit hing das große chinesische Schriftzeichen „Shou" (Langlebigkeit) an der Vorderwand. Zu

Scherenschnitte als Fensterdekoration

seinen beiden Seiten hingen Spruchrollen. Auf der ersten Spruchrolle stand ‚‚Das Glück ist so groß wie das Wasser im Ostmeer" und auf der zweiten „Die Lebenserwartung ist länger als die alten Kiefern auf dem Südberg". Außerdem zündete man in der Halle Wachskerzen an, die ebenfalls Langlebigkeit symbolisieren. Die meisten Geburtagsgeschenke waren Geburtstagspfirsiche, Bild- und Spruchrollen. Der Gastgeber veranstaltete für die Ehrengäste ein Bankett.

In verschiedenen Ausdrucksweisen der Sehnsucht nach Glück spielt die chinesischen Schrift, inbesondere das Schriftzeichen „Fu" (Glück) eine wichtige Rolle. Es ist eine alte Sitte, während des Frühlingsfestes das chinesische Schriftzeichen „Fu", das auf ein

Das Schriftzeichen „Langlebigkeit" mit Darstellungen von Unsterblichen, Kiefern, Kranichen und Pfirsichen, den Symbolen für ein langes Leben

Frühlingsfestbild mit der Schriftzeile „Jedes Jahr Überschuß"

quadratisches rotes Papier geschrieben wurde, auf einen Tür- und einen Fensterflügel oder auf Möbel und andere Gebrauchsgegenstände zu kleben, um das Glück zu beschwören. In manchen Familien stand dieses Schriftzeichen verkehrt herum, was bedeutete, dass das Glück schon angekommen ist. Das chinesische Schriftzeichen „Shuangxi" (doppelter Segen oder doppelte Freude) bedeutet, dass sich doppelter Segen über dieses Haus ergossen hat. Während der Hochzeit klebt man das Schriftzeichen „Shuangxi" auf Tür- und Fensterflügel oder auf Möbel, um die festliche Stimmung zu verstärken.

Nach traditioneller Vorstellung ist Rot beim einfachen Volk eine Farbe für ein frohes Ereignis und bei reichen Familien eine Farbe für Reichtum sowie Macht und Einfluß. Daher wurden die Schriftenzeichen „Fu" (Glück) und „Shuangxi" (dopellter Segen) auf rotes Papier geschrieben. Auch das Papier der Laternen ist rot. In alter Zeit wurde das Tor reicher Familien als „Zhumen" (rot gestrichenes Tor oder Tor reicher Familien) bezeichnet. Du Fu

(712—770), ein großer Dichter aus der Tang-Dynastie, schrieb in einem seiner Werke: „Hinter den Toren reicher Familien verderben Wein und Fleisch, während die Armen am Wegrand vor Kälte sterben." Alle Gebäude der Paläste und Tempel in China sind rot gestrichen. Auch die Farbe Gelb hat eine bestimmte Bedeutung, nämlich Heiligkeit, Autorität und Würde. In feudaler Zeit war es ausnahmslos die Farbe des Kaiserhofs. So war die Farbe der kaiserlichen Kleidung und die der Dachziegel aller kaiserlichen Gebäude der Ming- und der Qing-Dynastie gelb.

Heute schenken die Chinesen immer noch der Familie und Verwandschaft die gebührende Aufmerksamkeit. Doch es gibt sehr wenige Leute, die an „Mehr Kinder, mehr Glück" glauben. Jene glückverheißenden Zeichen, Muster und Gegenstände sind noch im Volk verbreitet, doch ihre traditionelle Bedeutung wird allmählich schwächer oder ändert sich. Aus Anlaß eines Festtages werden in Stadt und Land noch immer Häuser und Gebäude mit Lampions und farbigen Seidenbändern geschmückt, finden die kulturellen Veranstaltungen wie der Löwentanz, mit dem Drachen jonlieren usw. statt. Aber inzwischen gibt es auch viele neue Feierlichkeiten und Anlässe zum Feiern. Die Chinesen leben heute in der Moderne. Sie können nach ihrem Wunsch ihren Beruf und ihre Freizeitbeschäftigung auswählen. Ihre Lebensweise hat sich stark verändert. Doch die Spuren der traditionellen chinesischen Kultur sind immer noch sehr deutlich, und zwar auch bei den Chinesen außerbalb Chinas.